PHRASE·BOOK

АНГЛО-РУССКИЙ РАЗГОВОРНИК

МОСКВА
«РУССКИЙ ЯЗЫК»
1989

ENGLISH·RUSSIAN
PHRASE·BOOK

RUSSKY YAZYK PUBLISHERS
MOSCOW
1989

ББК 81. 2Англ
Ч49

Рецензенты:
канд. филол. наук Л. В. Малаховский,
канд. филол. наук Л. Г. Нечаев

Черняховская Л. А.

Ч49   Англо-русский разговорник. — М.: Рус. яз., 1989. — 256 с.

ISBN 5-200-00761-5
ISBN 0569-09126-8

    Разговорник предназначен для приезжающих в Советский Союз туристов и деловых людей и содержит необходимые для общения на русском языке слова и фразы.
    Материал организован по тематическому принципу и включает разделы: «Гостиница», «Ресторан», «В городе», «Заседания. Конференции», «Экономическое сотрудничество» и др. Имеется страноведческий комментарий.
    Разговорник снабжён практической транскрипцией русского текста и дополнен русско-английским словарём.

Ч $\frac{4602030000-199}{015(01)-89}$ 237-89   **ББК 81.2Англ**

ISBN 5-200-00761-5

ISBN 0569-09126-8

© Издательство «Русский язык», 1989

Collets,
Denington Estate,
Wellingborough,
Northants, NN8 2QT.
UK.

CONTENTS

СОДЕРЖАНИЕ

INTRODUCTION

This phrase-book is meant to help a tourist in the USSR with language problems. And if you are that tourist, it might help you get your bearings generally. It suggests a minimum of phrases and vocabulary to be used in various everyday situations.

The phrase-book is mainly British-oriented, but an American version, if it differs from the British, is given after a slant, thus: cinema/movies.

The patterns are given for the male of the species. So if you happen to be a female you will need different pronouns, suffixes and other word endings. Those are given in brackets, like this: "He (She) said" — Он (Она) сказал(-а), on (ana) skazal(-a); "He (She) has come" — Он (Она) пришёл (пришла), on (ana) prishol (prishla).

The pronunciation of the Russian text is rendered by English letters, without resorting to special transcription signs. The given practical transcription enables the user of the phrase-book to pronounce Russian words quite satisfactorily, it reveals the difference between the spelling of words and their pronunciation. Meanwhile, being a simplified one, it does not reflect some details which are not important from the point of view of meaning.

A brief guide to pronunciation is given in the following table.

Russian Printed Character	English Printed Equivalent	Illustrations of Pronunciation and Notes
1	2	3
А а	a*, a	like a in "father"
Б б	b	like b in "box"
В в	v	like v in "voice"

Г г	g	like *g* in "gone"
Д д	d	like *d* in "date"
Е е	ye *	like *ye* in "yet"
Ё ё	yo *	like *yo* in "york"
Ж ж	zh	like *s* in "measure"
З з	z	like *z* in "zoo"
И и	**i**, i	like *ee* in "need"
Й й	y	like *y* in "toy"
К к	k	like *k* in "kite"
Л л	l	like *l* in "love"
М м	m	like *m* in "man"
Н н	n	like *n* in "note"
О о	**o** *	likc *o* in "port"
П п	p	like *p* in "put"
Р р	r	like *r* in "arrow"
С с	s	like *s* in "spoon"
Т т	t	like *t* in "tank"
У у	**u** *, u	like *u* in "full"
Ф ф	f	like *f* in "fat"
Х х	kh	like *kh* in "khan"
Ц ц	ts	like *ts* in "its"
Ч ч	ch	like *ch* in "chance"
Ш ш	sh	like *sh* in "shoe"
Щ щ	shch	like *shch* in "fresh cheese"
ъ	not designated	not pronounced
ы	**i** *, i	like *i* in "tip"
ь	i	not pronounced; softens the preceding consonant (you may add a slight "i" sound for the purpose)
Э э	**e** *, e	like *e* in "end"
Ю ю	**yu** *, yu	like *u* in "use"
Я я	**ya** *	like *ya* in "yard"

---

* Accented vowels are indicated in transcription by bold type. Such vowel should be pronounced more distinctly than others.

We wish you a happy journey!

GETTING ACQUAINTED. PERSONAL CONTACTS

ЗНАКОМСТВО. ВСТРЕЧИ. ОБЩЕНИЕ

GETTING ACQUAINTED

ЗНАКОМСТВО

Over 100 nations, nationalities and ethnic groups live on the territory of the USSR, and all of them have different traditions of naming, addressing and referring to people.

There are groups who until recently did not have patronimics, surnames or family names.

To avoid confusion — and, consequently, chaos within a State — there must be a way of referring to citizens for official purposes. A uniform way of official referring to people (for instance, passport reference) has been worked out — name, patronymic, surname (family name): Ivan Sergeyevich Kuznetsov, Yulia Mikhailovna Priakhina.

For Russians, the patronymic is an obligatory part of the official name. This name is formed from the name of the person's father.

In ancient Russian written records we come across patronymics formed from both Russian and non-Russian names (e. g. names originating from ancient Turkic tribal names, such as Burchevich, Berendeyevich). Beginning from the reign of Peter the Great, patronymics become obligatory for names in all official documents.

In the situation of National-Russian bilinguism surnames are formed from names used by those peoples who do not use surnames in their national languages. Thus, they say: Youosas Kostovich Savukinas, Zukhra Yousoupovna Alikhanova, etc. It can be accounted for by the necessity of mentioning the name of the person's father in his or her passport, alongside with the information on the time and the place of the person's birth. In such cases the document page in the national language has it as "the son of such and such...", and the page in Russian has the surname in the form it is going to be pronounced in the Russian medium or within a mixed group of people, both Russian and non-Russian.

Writing down the surname in the "Russian" page of the document does not in any way violate the national practice of naming and is mostly needed when a person crosses the boundaries of his or her National Republic.

Writing down the surname in the birth certificate and in the passport does not prevent the person from being called the way he or she has been accustomed to, in everyday life, in private situations, like being called Vanya, Youlia, Ivanovich, Mikhailovna, Youozas, Zukhra-Khanum, Zukhra-apa.

Among Russians, addressing a person by his or her given name and patronymic implies respect, and addressing somebody one does not know well, without using the patronymic, is considered impolite.

Have you met?	Вы знакомы?	vi znakomi?
How do you do?	Здравствуйте!	zdrastvuyti!
Good morning!	Доброе утро!	dobraye utra!
Good afternoon!	Добрый день!	dobriy d'en'!
Good evening!	Добрый вечер!	dobriy v'echir!
Very pleased to make your acquaintance	Рад (Рада) с вами познакомиться	rat (rada) s vami paznakomitsa
I would like you to meet...	Разрешите представить вам...	razrishiti pritstavit' vam...
my husband	моего мужа	maivo muzha
my wife	мою жену	mayu zhinu
my parents	моих родителей	maikh raditiliy
my children	моих детей	maikh dit'ey
I am pleased to meet you	Очень рад с вами познакомиться	ochin' rat s vami paznakomitsa
This is my (our) first visit to this country (this city)	Я (Мы) впервые в вашей стране (в вашем городе)	ya (mi) fpirvii v vashiy stran'e (v vashim goradi)

◇ PHRASES

11

We have arrived in the Soviet Union on the invitation of...	Мы приехали в Советский Союз по приглашению...	mɨ priyekhali f savietskiy sayus pa priglasheniyu...
I am from the UK (USA)	Я приехал(-а) из Англии (из США)	ya priyekhal(-a) iz anglii (is se-she-a)
I am (We are) from...	Я (Мы)...	ya (mɨ)...
London	из Лондона	iz londana
New York	из Нью-Йорка	iz nyu-yorka
Chicago	из Чикаго	is chikaga
We are here with a British (American) delegation	Мы приехали в составе английской (американской) делегации	mɨ priyekhali f sastavi angliyskay (amirikanskay) diligatsii
There are...	Нас...	nas...
three of us	три человека	tri chilavieka
twenty of us	двадцать человек	dvatsati chilaviek
I represent...	Я представитель...	ya pritstavitili...
I am (We are) here...	Я приехал(-а) (Мы приехали)...	ya priyekhal(-a) (mɨ priyekhali)...
on a business trip	в командировку	f kamandirofku
with a trade (Trade-Union) delegation	в составе торговой (профсоюзной) делегации	f sastavi targovay (prafsayuznay) diligatsii
with a youth (sports) delegation	в составе молодёжной (спортивной) делегации	f sastavi maladiozhnay (spartivnay) diligatsii
as a reporter	как корреспондент	kak karispandient
I am here...	Я приехал(-а)...	ya priyekhal(-a)...
on a Russian Course	на курсы русского языка	na kursɨ ruskava yizika
on an exchange program	на стажировку	na stazhɨrofku

I have been spending my holiday/vacation here	Я провожу здесь отпуск (каникулы *)	ya pravazhu zd'es' otpusk (kanikuli)
I've always wanted to visit your country	Я давно хотел(-а) побывать в вашей стране	ya davno khat'el(-a) pabivat' v vashiy stran'e
I am happy to be here in the Soviet Union	Я очень рад (рада), что приехал(а) в Советский Союз	ya ochin' rat (rada), shto priyekhal(-a) f sav'etskiy sayus

Как вам нравится Москва? В каких городах вы уже побывали?	How do you like Moscow? Which cities have you visited already?

We have been to Kiev, Riga, Tbilisi	Мы побывали в Киеве, Риге, Тбилиси	mi pabivali f kiivi, rigi, tbilisi

We like it here very much	Нам здесь очень нравится	nam zd'es' ochin' nravitsa

Где вы остановились?	Where are you staying?

We are staying at...	Мы остановились в...	mi astanavilis' v...

● WORDS

business trip	командировка	kamandirofka
country	страна	strana
delegation	делегация	diligatsiya
exchange programme	стажировка	stazhirofka
exchange student	стажёр	stazhor
family name	фамилия	familiya
get acquainted	знакомиться	znakomitsa
greet	здороваться	zdarovatsa
invitation	приглашение	priglasheniye
name	имя	im'a

---

* School or student holidays

| surname | фамилия | familiya |
| viziting card | визитная карточка | vizitnaya kartachka |

LANGUAGE — ЯЗЫК

Do you speak English?	Вы говорите по-английски?	vɨ gavariti pa-angliyski?
I don't speak Russian	Я не говорю по-русски	ya ni gavar'u pa-ruski
I can speak a bit of Russian	Я немного говорю по-русски	ya nimnoga gavar'u pa-ruski
I am studying Russian	Я изучаю русский язык	ya izuchayu ruskiy yizɨk
I (don't) speak... French German Spanish	Я (не) говорю... по-французски по-немецки по-испански	ya (ni) gavar'u... pa-frantsuski pa-nim'etski pa-ispanski
I speak only English	Я говорю только по-английски	ya gavar'u tol'ka pa-angliyski
I don't understand	Я не понимаю	ya ni panimayu
You are talking too fast	Вы говорите слишком быстро	vɨ gavariti slishkam bistra
Could you speak a bit slower, please	Говорите, пожалуйста, медленнее	gavariti, pazhalsta, m'edliniye
Could you repeat that?	Повторите, пожалуйста, ещё раз	paftariti, pazhalsta, yishcho ras
Do you understand/follow me?	Вы меня понимаете?	vɨ min'a pani-maiti?
I understand almost everything	Я понимаю почти всё	ya panimayu pachti fs'o
I understand you, but speaking Russian is difficult for me	Я вас понимаю, но мне трудно говорить по-русски	ya vas panimayu, no mn'e trudna gavarit' pa-ruski

14

What is the Russian for it?	Как это сказать по-русски?	kak eta skazat' pa-ruski?
What do you call it in Russian?	Как это называется по-русски?	kak eta nazivaitsa pa-ruski?
I (We) need an interpreter	Мне (Нам) нужен переводчик	mn'e (nam) nuzhin pirivotchik

dictionary	словарь	slavar'
interpreter	переводчик (переводчица)	pirivotchik (pirivotchitsa)
language	язык	yizik
letter	буква	bukva
phrase-book	разговорник	razgavornik
read	читать	chitat'
repeat v	повторить	paftarit'
sentence	предложение	pridlazheniye
sound n	звук	zvuk
speak	говорить	gavarit'
understand	понимать	panimat'
word	слово	slova
write	писать	pisat'

• WORDS

AGE. FAMILY

ВОЗРАСТ. СЕМЬЯ

How old are you?	Сколько вам лет?	skol'ka vam l'et?
I am...	Мне... лет	mn'e... l'et
When were you born?	В каком году вы родились?	f kakom gadu vɨ radilis'?
How old is your son (your daughter)?	Сколько лет вашему сыну (вашей дочери)?	skol'ka l'et vashimu sɨnu (vashɨy dochiri)?
He (She) is...	Ему (Ей)...	yimu (yey)...

◆ PHRASES

ten	десять лет	d'esit' l'et
twenty	двадцать лет	dvatsat' l'et
twenty three	двадцать три года	dvatsat' tri go-da
Are you married?	Вы женаты (замужем)?	vi zhinati (zamu-zhim)?
I am...	Я...	ya...
married	женат (замужем)	zhinat (zamu-zhim)
not married	не женат (не замужем)	ni zhinat (ni za-muzhim)
divorced	разведён (разведена)	razvid'on (raz-vidina)
My wife died	Я вдовец	ya vdav'ets
My husband died	Я вдова	ya vdava
I have no children	У меня нет детей	u min'a n'et dit'ey
I have one child	У меня один ребёнок	u min'a adin ri-b'onak
I have two (three) children	У меня двое (трое) детей	u min'a dvoye (troye) dit'ey
My wife died (My husband died) several years ago	Моя жена умерла (Мой муж умер) несколько лет назад	maya zhina umirla (moy mush umir) n'eskal'ka l'et nazat
I have no brothers (sisters)	У меня нет братьев (сестёр)	u min'a n'et brat'yef (sist'or)
This is my son and his fiancée	Это мой сын и его невеста	eta moy sin i yivo niv'esta
This is my daughter and her fiancé	Это моя дочь и её жених	eta maya doch i yiyo zhinikh
aunt	тётя	t'ot'a
bachelor	холостяк	khalast'ak
brother	брат	brat
child	ребёнок	rib'onak

WORDS

16

GETTING ACQUAINTED. PERSONAL CONTACTS
ЗНАКОМСТВО. ВСТРЕЧИ, ОБЩЕНИЕ

children	дети	d'eti
date of birth	дата рождения	data razhd'eniya
daughter	дочь	doch
divorced	разведён (разведена)	razvid'on (razvidina)
father	отец	at'ets
father-in-law	тесть (*wife's father*)	t'est'
	свёкор (*husband's father*)	sv'okar
fiancé	жених	zhinikh
fiancée	невеста	niv'esta
get acquainted	знакомиться	znakomitsa
getting introduced	знакомство	znakomstva
granddaughter	внучка	vnuchka
grandfather	дедушка	d'edushka
grandmother	бабушка	babushka
grandson	внук	vnuk
greet	здороваться	zdarovatsa
husband	муж	mush
married	женат (замужем)	zhinat (zamuzhim)
mother	мать	mat'
mother-in-law	тёща (*wife's mother*)	t'oshcha
	свекровь (*husband's mother*)	svikrof'
parents	родители	raditili
place of birth	место рождения	m'esta razhd'eniya
sister	сестра	sistra
son	сын	sin
widow	вдова	vdava

widower	вдовец	vdav^{i}ets
uncle	дядя	d^{i}ad^{i}a
year of birth	год рождения	got razhd^{i}eniya

OCCUPATIONS ## ПРОФЕССИЯ

What do you do for a living?	Чем Вы занимаетесь?	chem v$_i$ zanimaitis^i?
Do you work?	Вы работаете?	v$_i$ rabotaiti?
Are you a student?	Вы учитесь?	v$_i$ uchitis^i?
What do you do?	Кто Вы по профессии?	kto v$_i$ pa praf^{i}esii?
I am...	По профессии я...	pa praf^{i}esii ya...
a historian	историк	istorik
a physicist	физик	fizik
an engineer	инженер	inzhin^{i}er
a doctor	врач	vrach
a worker	рабочий	rabochiy
an editor	редактор	ridaktar
a school teacher	учительница	uchitil^{i}nitsa
a secretary	секретарь	sikritar^i
We are colleagues	Мы коллеги	m$_i$ kal^{i}egi
Where do you work?	Где Вы работаете?	gd^{i}e v$_i$ rabotaiti?
I work...	Я работаю...	ya rabotayu...
at a factory	на фабрике	na fabriki
at a machine-tool works	на станкостроительном заводе	na stankastraitil^{i}nam zavodi
at a farm	на ферме	na f^{i}ermi
in a bank	в банке	v banki
at a publishing house	в издательстве	v izdatil^{i}stvi
at an office	в учреждении	v uchrizhd^{i}enii

I work at a re-search centre	Я работаю в научно-исследовательском институте	ya rabotayu v nauchna-issl'eda-vatil'skam insti-tuti
I am a student	Я студент(-ка)	ya stud'ent(-ka)
What college do you go to?	Где Вы учитесь?	gd'e vɨ uchi-tis'?
I study at a university	Я учусь в университете	ya uchus' v uni-virsit'eti
What do you study?	Что вы изучаете?	chto vɨ izuchaiti?
I study chemistry	Я изучаю химию	ya izuchayu khi-miyu
I study at a... college	Я учусь в... институте	ya uchus' v... in-stituti
teachers training	педагогическом	pidagagichiskam
polytechnical	политехническом	palitiklulchiskam
medical	медицинском	miditsinskam
What year are you in?	На каком курсе вы учитесь?	na kakom kursi vɨ uchitis'?
I am in my... year	Я учусь на... курсе	ya uchus' na... kursi
Do you get a grant/scholarship?	Вы получаете стипендию?	vɨ paluchaiti stip'endiyu?
I am training to be a typist	Я учусь на курсах машинописи	ya uchus' na kur-sakh mashinapisi
I am a housewife	Я домашняя хозяйка	ya damashn'aya khaz'ayka
I am retired	Я пенсионер(-ка)	ya pinsian'er(-ka)

SOCIAL ACTIVITIES
ОБЩЕСТВЕННАЯ ДЕЯТЕЛЬНОСТЬ

| Do you belong to any party? | Вы член партии? | vɨ chl'en partii? |
| Yes, I do | Да | da |

I am a member of the Communist Party	Я член Коммунистической партии	ya chl[i]en kamunistichiskay partii
I am a Social Democrat	Я социал-демократ	ya satsial-dimakrat
I belong to the Labour Party	Я член лейбористской партии	ya chl[i]en liybariskay partii
I am a Conservative	Я консерватор	ya kansirvatar
I am a Republican	Я республиканец	ya rispublikanits
I am a Democrat	Я член демократической партии	ya chl[i]en dimakratichiskay partii
I belong to the Green Party	Я член партии «зелёных»	ya chl[i]en partii zil[i]onikh
I am not a party member	Я беспартийный	ya bispartiyniy
Do you belong to any public organization?	Вы состоите в какой-нибудь общественной организации?	vi sastaiti f kakoynibut[i] apshchestvinay arganizatsii?
I am a member of...	Я член...	ya chl[i]en...
the World Peace Council	Всемирного Совета Мира	fsimirnava sav[i]eta mira
The World Federation of Democratic Youth	Всемирной федерации демократической молодёжи	fsimirnay fidiratsii dimakratichiskay malad[i]ozhi
Great Britain — USSR Society	Общества «Великобритания — СССР»	opshchistva vilikabritaniya — es-es-es-er
I am a Trade-Union member	Я член профсоюза	ya chl[i]en prafsayuza
Which trade-union do you belong to?	В каком профсоюзе вы состоите?	f kakom prafsayuzi vi sastaiti?

I belong to NUT	Я член национального союза учителей	ya chlʲen natsianalʲnava sayuza uchitilʲey
I belong to TGWU	Я член профсоюза железнодорожников	ya chlʲen prafsayuza zhʲliznadarozhnikaf
Are you religious?	Вы верующий (верующая)?	vɨ vʲeruyushchiy (vʲeruyushchaya)?
I am...	Я...	ya...
an atheist	атеист	ateist
a Roman Catholic	католик	katolik
a Protestant	протестант	pratistant
an Orthodox	православный	pravaslavnʲy
a Quaker	квакер	kvakir
a Buddhist	буддист	buddist
a Moslem	мусульманин	musulʲmanin
I participate in...	Я принимаю участие в работс...	ya prinimayu uchastiye v raboti...
the Christian Peace Conference	Христианской мирной конференции	khristianskay mirnay kanfirʲentsɨi
the Asian Buddhist Peace Conference	Азиатской Буддистской конференции за мир	aziatskay buddiskay kanfirʲentsɨi za mir
actor	актёр	aktʲor
actress	актриса	aktrisa
agronomist	агроном	agranom
architect	архитектор	arkhitʲektar
attorney	адвокат	advakat
College (*university college*)	институт	institut
Communist	коммунист	kamunist
dentist	зубной врач	zubnoy vrach

● WORDS

21

GETTING ACQUAINTED. PERSONAL CONTACTS
ЗНАКОМСТВО. ВСТРЕЧИ. ОБЩЕНИЕ

diplomat	дипломат	diplamat
doctor	врач	vrach
driver	шофёр, водитель	shaf'or, vaditil'
economist	экономист	ekanamist
editor	редактор	ridaktar
education	образование	abrazavaniye
engineer	инженер	inzhin'er
faculty	факультет	fakul't'et
farmer	фермер	f'ermir
film director	кинорежиссёр	kinarizhis'or
film producer	продюсер	prad'user
go to school	ходить в школу, учиться в школе	khadit' f shkolu, uchitsa f shkoli
housewife	домохозяйка	damakhaz'ayka
introduce	знакомить	znakomit'
introduction	знакомство	znakomstva
journalist	журналист	zhurnalist
lawyer	юрист	yurist
mechanic	механик	mikhanik
miner	шахтёр	shakht'or
musician	музыкант	muzikant
office worker	служащий	sluzhashchiy
officer	офицер	afitser
painter	художник	khudozhnik
party	партия	partiya
peace	мир	mir
pension	пенсия	p'ensiya
pilot	лётчик	l'otchik
plant	завод	zavot

profession	профессия	praf'esiya
pupil	ученик (ученица)	uchinik (uchinitsa)
reporter	корреспондент	karispand'ent
represent	представлять	pritstavl'at'
research worker	научный работник	nauchniy rabotnik
retired man	пенсионер	pinsian'er
retired woman	пенсионерка	pinsian'erka
shop assistant/sales-man	продавец (продав-щица)	pradav'ets (pra-dafshchitsa)
student	студент	stud'ent
study v (at a univer-sity, college)	учиться	uchitsa
teacher	учитель (учитель-ница)	uchitil' (uchiti-l'nitsa)
technical junior col-lege	техникум	t'ekhnikum
technician	техник	t'ekhnik
technologist	технолог	tikhnolak
trade-union	профсоюз	prafsayus
university/university college	университет	univirsit'et
university depart-ment	факультет	fakul't'et
veterinarian	ветеринар	vitirinar
work n	работа	rabota
work v	работать	rabotat'
worker	рабочий	rabochiy
youth	молодёжь	malad'osh

HOTEL   ГОСТИНИЦА

What hotel shall we be staying at?	В какой гостинице мы будем жить?	f kakoy gastinitsi mɨ budim zhiti?
Where is the hotel?	Где находится эта гостиница?	gdie nakhoditsa eta gastinitsa?
We should like to stay at a hotel not far from...	Нам нужна гостиница недалеко от...	nam nuzhna gastinitsa nidaliko at...
the Fair	выставки	vistafki
the city centre	центра города	tsentra gorada
the university	университета	univirsiteta
I have a reservation at... hotel	Для меня забронирован номер в гостинице...	dlia minia zabraniravan nomir v gastinitsi...
How do I get to ... hotel?	Как проехать в гостиницу...?	kak prayekhati v gastinitsu...?
"Kosmos"	«Космос»	kosmas
"Rossiya"	«Россия»	rasiya
"Sovietskaya"	«Советская»	savietskaya

CHECKING IN   ОФОРМЛЕНИЕ НОМЕРА

| Are there rooms available? | У Вас есть свободные номера? | u vas yesti svabodnii namira? |
| I have a reservation in this hotel | Для меня забронирован номер в вашей гостинице | dlia minia zabraniravan nomir v vashiy gastinitsi |

24

| | Ваш паспорт, пожалуйста | Your passport, please |
| | Какой номер вам нужен? | What kind of room would you like? |

Have you got... rooms?	У вас есть... номера?	u vas yestⁱ... namira?
single	одноместные	adnamⁱesnii
double	двухместные	dvukhmⁱesnii

Have you got a suite? | У вас есть номера люкс? | u vas yestⁱ namira lⁱuks?

Have you got a room for three? We have a child with us | У вас есть трёх-местные номера? Мы с ребёнком | u vas yestⁱ trⁱokhmⁱesnii namira? mi s ri bⁱonkam

Could we have a... room, please?	Нельзя ли номер...?	nilⁱzⁱa li nomir...?
larger	побольше	pabolⁱshi
smaller	поменьше	pamⁱenⁱshi
cheaper	подешевле	padishevli

I would like a room next to my friend's | Мне бы хотелось поселиться рядом с товарищем | mnⁱe bɨ khatⁱe-lasⁱ pasilitsa rⁱadam s tava-rishchem

Does the room have...?	Есть ли в номере...?	yestⁱ li v nomi-ri...?
a television set	телевизор	tilivizar
a telephone	телефон	tilifon
a bathroom	ванная	vannaya

How much is the room per night? | Сколько стоит этот номер в сут-ки? | skolⁱka stoit etat nomir f sutki?

Does the price in-clude breakfast? | Завтрак входит в стоимость номе-ра? | zaftrak fkhodit f stoimastⁱ nomi-ra?

May I see the room? | Можно посмот-реть этот номер? | mozhna pasmat-rⁱetⁱ etat no-mir?

25

What floor is this room on?	На каком этаже этот номер?	na kakom etazhe etat nomir?
Этот номер находится на втором этаже	The room is on the first/second floor	
Вас устраивает этот номер?	Will this room do?	
Мы можем предложить вам другой номер	We can offer you another room	
I (don't) like the room	Этот номер мне (не) нравится	etat nomir mn'e (ni) nravitsa
Сколько дней вы пробудете в нашей гостинице?	How long will you be staying with us?	
I'll be staying here...	Я пробуду здесь...	ya prabudu zd'es'...
for... days	... дней	... dn'ey
for two weeks	две недели	dv'e nid'eli
for a month	месяц	m'esits
I don't know yet	Пока ещё не знаю	paka yishcho ni znayu
When can I get my passport back?	Когда я могу получить паспорт?	kagda ya magu paluchit' paspart?
Can I have the key to Room [Number]...	Дайте, пожалуйста, ключ от номера...	dayti, pazhalsta, kl'uch at nomira...
Where is...?	Где [находится]...?	gd'e [nakhoditsa]...?
the lift	лифт	lift
the restaurant	ресторан	ristaran
the café	кафе	kafe
the bar	бар	bar
Will you take my luggage to my room, please	Отнесите, пожалуйста, мои вещи в номер	atnisiti, pazhalsta, mai v'eshchi v nomir

26

STAYING AT A HOTEL

ПРЕБЫВАНИЕ В ГОСТИНИЦЕ

Could you tell me where... is, please?	Скажите, пожалуйста, где...?	skazhiti, pazhalsta, gd'e...?
the service bureau	бюро обслуживания	b'uro apsluzhivaniya
the souvenir shop	сувенирный киоск	suvinirniy kiosk
the newspaper stand	газетный киоск	gaz'etniy kiosk
the hairdresser's	парикмахерская	parikmakhirskaya
Where can I park my car?	Где можно поставить машину?	gd'e mozhna pastavit' mashinu?
What is the voltage here?	Какое здесь напряжение?	kakoye zd'es' naprizheniye?
Will you bring me... up to my room?	Принесите, пожалуйста, мне в номер...	prinisiti, pazhalsta, mn'e v nomir...
breakfast	завтрак	zaftrak
lunch	обед	ab'et
supper	ужин	uzhin
My room is too...	В моём номере слишком...	v mayom nomiri slishkam...
cold	холодно	kholadna
warm	жарко	zharka
My telephone does not work	У меня не работает телефон	u min'a ni rabotait tilifon
In my room...	У меня...	u min'a...
the heating does not work	не греет батарея	ni gr'eit batar'eya
the hot water tap is out of order	испорчен кран с горячей водой	isporchin kran z gar'achiy vadoy
a bulb has burned out	перегорела лампочка	pirigar'ela lampachka

27

the television does not work	не работает телевизор	ni rabotait tilivizar
the window won't open	не открывается окно	ni atkrivaitsa akno
Can you bring me... please?	Принесите, пожалуйста...	prinisiti, pazhalsta...
an ash-tray	пепельницу	p'epil'nitsu
a bath-towel	банное полотенце	bannaye palat'entse
one more pillow	ещё одну подушку	yishcho adnu padushku
one more blanket	ещё одно одеяло	yishcho adno adiyala
I would like these things...	Прошу вас эти вещи...	prashu vas eti v'eshchi...
dry-cleaned	отдать в чистку	addat' f chistku
washed	постирать	pastirat'
pressed	погладить	pagladit'
mended	отремонтировать	atrimantiravat'
When will they be ready?	Когда будет готово?	kagda budit gatova?
Will you wake me up at... in the morning	Разбудите меня, пожалуйста, в... часов утра	razbuditi min'a, pazhalsta, v... chisof utra
I have left my key in the room and shut the door	Я забыл ключ в номере и захлопнул дверь	ya zabil kl'uch v nomiri i zakhlopnul dv'er'
If anyone calls for me, will you tell them... please	Если меня кто-нибудь будет спрашивать, скажите, пожалуйста, что я...	yesli min'a ktonibut' budit sprashivat', skazhiti, pazhalsta, shto ya...
I'll be back soon	скоро вернусь	skora virnus'
I'll be in later	буду позже	budu pozhzhe
I am coming back at...	вернусь в...	virnus' v...

Has anyone asked for me?	Меня кто-нибудь спрашивал?	min'a kto-ni-but' sprashival?
Is there a message for me?	Для меня что-нибудь есть?	dl'a min'a shto-ni-but' yest'?
Вас спрашивал(-а)...		Someone asked for you. His (Her) name is...
Вам звонили		There was a call for you
I would like to call...	Я хотел(-а) бы позвонить...	ya khat'el(-a) bɪ pazvanit'...
"British Airways"	в авиакомпанию «Бритиш эруэйз»	v aviakampaniyu british erueyz
"Pan American"	в авиакомпанию «Пан Америкэн»	v aviakampaniyu pan am'erikan
London	в Лондон	v londan
New York	в Нью-Йорк	v nyu-york
What is on today...?	Что сегодня идёт...?	shto sivodn'a id'ot...?
at the Palace of Congresses	во Дворце съездов	va dvartse syezdaf
at the Bolshoi Theatre	в Большом театре	v bal'shom tiatri
at the Moscow Art Theatre	во МХАТе	va mkhati
Is it possible to arrange... for us?	Нельзя ли организовать для нас...?	nil'z'a li arganizavat' dl'a nas...?
a trip to the country	поездку за город	payestku za garat
a visit to a museum	посещение музея	pasishcheniye muz'eya
a sight-seeing trip	осмотр достопримечательностей	asmotr dastaprimichatil'nastiy
Where can I book /order airplane (railway) tickets?	Где можно заказать авиа- (железнодорожные) билеты?	gd'e mozhna zakazat' avia- (zhil'eznadarozhnii) bil'eti?

PHRASES ◆

| I have to have my visa extended | Мне надо продлить визу | mn'e nada pradlit' vizu |

CHECKING OUT — ОТЪЕЗД ИЗ ГОСТИНИЦЫ

I (We) will be leaving the hotel tomorrow [morning]	Я уезжаю (Мы уезжаем) завтра [утром]	ya uizhzhayu (mɨ uizhzhaim) zaftra [utram]
We have to leave the hotel as soon as possible	Мы срочно уезжаем	mɨ srochna uizhzhaim
We are in a terrible hurry	Мы очень спешим	mɨ ochin' spishim
Would you add up the bill for us, please	Приготовьте, пожалуйста, счёт	prigatof'ti, pazhalsta, shchot

Вы оплатили телефонный разговор?	Have you paid for your telephone call?
Проверьте, пожалуйста, счёт	Would you mind checking the bill?
Вот ваш счёт	Here is your bill
Оплатите счёт в кассе, пожалуйста	Would you pay your bill at the cash-desk, please

How much is the bill?	Сколько с меня?	skol'ka s min'a?
We are going to... from here	Мы отсюда уедем в город...	mɨ ats'uda uyedim v gorat...
We would like to stay at the hotel...	Мы хотели бы остановиться в гостинице	mɨ khat'eli bɨ astanavitsa v gastinitsɨ...
Could you have a room reserved for us?	Вы не могли бы забронировать для нас номер?	vɨ ni magli bɨ zabraniravat' dl'a nas nomir?

| Мы забронируем для вас номер в Ленинграде на пять дней | We shall have a room reserved for you in Leningrad for 5 days |

К сожалению, мы не можем забронировать вам номер	Sorry, but we won't be able to reserve a room for you	
Will you order a taxi for... o'clock in the morning (evening)?	Будьте любезны, вызовите такси к... часам утра (вечера)	butti l'ub'ezni, vizaviti taksi k... chısam utra (v'echira)
Can you take my luggage... please	Отнесите, пожалуйста, мой багаж...	atnisiti, pazhalsta, moy bagash...
downstairs	вниз	vnis
to the taxi	в такси	f taksi
into the bus	в автобус	v aftobus
Thank you very much	Большое спасибо	bal'shoye spasiba
The service here was very good	У вас прекрасное обслуживание	u vas prikrasnaye apsluzhivaniye
We hope to come here again	Мы надеемся ещё раз приехать к вам	mı nad'eims'a yishcho ras priyekhat' k vam

● WORDS

address	адрес	adris
armchair	кресло	kr'esla
arrive	приехать	priyekhat'
ashtray	пепельница	p'epil'nitsa
bathroom	ванная	vannaya
bed	кровать	kravat'
bed sheet	простыня	prastin'a
bell	звонок	zvanok
bill	счёт	shchot
blanket	одеяло	adiyala
breakfast	завтрак	zaftrak
bulb	лампочка	lampachka
button	кнопка	knopka

31

HOTEL
ГОСТИНИЦА

chair	стул	stul
chamber-maid	горничная	gornichnaya
checking in	регистрация	rigistratsiya
conditioner	кондиционер	kanditsian'er
delegation	делегация	diligatsiya
departure	отъезд	atyest
door	дверь	dv'er'
doorman	швейцар	shviytsar
family name	фамилия	familya
fill in the form	заполнить бланк	zapolnit' blank
floor	этаж	etash
guest	гость	gost'
hall/lobby	холл, вестибюль	khol, vistib'ul'
hanger	плечики, вешалка	pl'echiki, v'e-shalka
have something re-paired (mended)	отремонтировать	atrimantiravat'
have something washed	постирать	pastirat'
heating	отопление	atapl'eniye
iron	утюг	ut'uk
key	ключ	kl'uch
leave v	уехать	uyekhat'
left luggage room/check-room	камера хранения	kamira khran'e-niya
lift/elevator	лифт	lift
luggage/baggage	багаж	bagash
magazine	журнал	zhurnal
name	имя	im'a
newspaper	газета	gaz'eta

ГОСТИНИЦА

newspaper stand	газетный киоск	gaz'etniy kiosk
passport	паспорт	paspart
pay the bill	оплатить счёт	aplatit' shchot
pillow	подушка	padushka
pillow-case	наволочка	navalachka
porter/bellboy	носильщик	nasil'shchik
post-office	почта	pochta
press/iron v	гладить	gladit'
radio	радиоприёмник	radiapriyomnik
receptionist	администратор	administratar
refrigerator	холодильник	khaladil'nik
reserve	забронировать	zabraniravat'
room	номер	nomir
single ~	одноместный ~	adnam'esniy ~
double ~	двухместный ~	dvukhm'esniy ~
sauna	сауна	sauna
service	обслуживание	apsluzhivaniye
service bureau	бюро обслуживания	b'uro apsluzhivaniya
sheet	простыня	prastin'a
shower	душ	dush
staircase	лестница	l'esnitsa
suite	номер люкс	nomir l'uks
supper	ужин	uzhin
tap	кран	kran
telephone	телефон	tilifon
television (set)	телевизор	tilivizar
trouble	неисправность	niispravnast'
voltage	напряжение	naprizheniye
wake up	разбудить	razbudit'

33

HOTEL
ГОСТИНИЦА

wash-stand	умывальник	umival'nik
water	вода	vada
cold ~	холодная ~	khalodnaya ~
hot ~	горячая ~	gar'achaya ~
working lamp	настольная лампа	nastol'naya lampa

POST-OFFICE. ПОЧТА.
TELEGRAPH. ТЕЛЕГРАФ.
TELEPHONE ТЕЛЕФОН

POST-OFFICE. ПОЧТА.
TELEGRAPH ТЕЛЕГРАФ

Where is...?	Где находится...?	gd'e nakhodi-tsa...?
the post office	почта	pochta
the telephone office [for trunk-/long distance calls]	переговорный пункт	pirigavorniy punkt
the telegraph office	телеграф	tiligraf
Which desk is for...?	Где принимают...?	gd'e prini-mayut...?
telegrams	телеграммы	tiligrammi
parcels	посылки	pasilki
paper parcels	бандероли	banderoli
registered letters	заказные письма	zakaznii pis'ma
postal money orders	денежные переводы	d'enizhnii piri-vodi
Where are the forms?	Где бланки?	gd'e blanki?
Could I have... please	Дайте, пожалуйста...	dayti, pazhalsta...
letter paper	почтовую бумагу	pachtovuyu bumagu

35

2*

a stamped envelope	конверт с маркой	kanv'ert s markay
a telegraph form	бланк телеграммы	blank tiligrammɨ
I would like to send...	Я хотел(-а) бы отправить...	ya khat'el(-a) bɨ atpravit'...
a registered letter	заказное письмо	zakaznoye pis'mo
an ensured parcel	ценную посылку	tsennuyu pasilku
Will you write the address in Russian, please. Here is the address	Будьте любезны, напишите, пожалуйста, адрес по-русски. Вот адрес	butti l'ub'ezni, napishiti, pazhalsta, adris pa-ruski. vot adris

Куда: 117071, Москва, Ленинский проспект, 25, квартира 34
Кому: Иванову Ивану Ивановичу
Адрес отправителя: 191065, Ленинград, улица Гоголя, 4, кв. 10, господину Джону Смиту

To: Ivanov Ivan Ivanovich, No 25, Leninsky prospect, Apartment 34, Moscow, 117071, USSR.

From: John Smith, No 4, Gogol Street, Apartment 10, Leningrad, 191065, USSR.

How much is the postage for a letter to the UK (USA)?	Сколько стоит марка для письма в Англию (в Соединённые Штаты)?	skol'ka stoit marka dl'a pis'ma v angliyu (f sayidin'onnii shtati)?
How much do I pay?	Сколько это будет стоить?	skol'ka eta budit stoit'?
When will it arrive?	Когда это придёт?	kagda eta prid' ot?
Where can I get a post restante/general delivery letter?	Где я могу получить письмо до востребования?	gd'e ya magu paluchit' pis'mo da vastr'ebavaniya?
Are there any letters for me?	Есть ли письма для меня?	yest' li pis'ma dl'a min'a?
Here is my passport	Вот мой паспорт	vot moy paspart

Can you send my letters to the following address?	Пересылайте, пожалуйста, мои письма по адресу...	pirisilayti, pazhalsta, mai pis'ma pa adrisu...

TELEPHONE — ТЕЛЕФОН

How do I call...?	Как позвонить...?	kak pazvanit'...?
the information desk	в справочное бюро	f spravachnaye b'uro
the Ukraina hotel	в гостиницу «Украина»	v gastinitsu ukraina
Sheremetyevo-2 airport	в аэропорт «Шереметьево-2»	v aeraport shiri-m'et'yiva dva
I would like to book/place a call to Paris (Berlin) for 9 o'clock in the morning (evening)	Я хочу заказать разговор с Парижем (с Берлином) на 9 часов утра (вечера)	ya khachu zaka-zat' razgavor s parizhem (z birli-nam) na d'evit' chisof utra (v'echira)
How much does a minute (do three minutes) cost?	Сколько стоит одна минута (три минуты)?	skol'ka stoit ad-na minuta (tri mi-nuti)?
The number in Paris (Berlin) is...	Номер в Париже (в Берлине)...	nomir f parizhi (v birlini)...
My number is...	Мой номер...	moy nomir...
I want an outside line, please	Соедините меня с городом	sayidiniti min'a z goradam
The number I want to call is...	Номер телефона в городе...	nomir tilifona v go-radi...
Can you give me number...	Дайте мне, пожалуйста, номер...	dayti mn'e, pa-zhalsta, nomir...
The extension number is...	Пожалуйста, добавочный...	pazhalsta, daba-vachniy...

Линия занята	The line is engaged/busy
Абонент не отвечает	There is no answer

I should like to cancell my call	Я снимаю заказ	ya snimayu zakas

PHRASES

I shall call from my room	Я буду говорить из номера	ya budu gavaritⁱ iz nomira
Hello! This is... speaking	Алло! Это говорит...	alⁱo! eta gavarit...
We were disconnected	Нас разъединили	nas razyidinili
May I speak to...?	Я хотел(-а) бы поговорить с...	ya khatⁱel(-a) bi pagavaritⁱ s...
Who is speaking?	Кто у телефона?	kto u tilifona?
Would you please repeat it	Будьте любезны, повторите, пожалуйста...	butti lⁱubⁱezni, paftariti, pazhalsta...
Louder, please, I can't hear you	Говорите громче, вас плохо слышно	gavariti gromchi, vas plokha slishna
Would you call again	Перезвоните, пожалуйста	pirizvaniti, pazhalsta
You've got the wrong number	Вы ошиблись номером	vi ashiblisⁱ nomiram
Is this number...?	Извините, это номер...?	izviniti, eta nomir...?
May I talk to... please?	Попросите, пожалуйста...	paprasiti, pazhalsta...
Hold the line, please. I shall put him (her) on	Одну минуту, я его (её) сейчас позову	adnu minutu, ya yivo (yiyo) sichas pazavu
I am sorry, he (she) is not here at the moment. May I take a message?	Ивини(те), его (её) сейчас нет. Что ему (ей) передать?	izviniti, yivo (yiyo) sichas nⁱet. shto yimu (yey) piridatⁱ?
I will call later	Я позвоню позже	ya pazvanⁱu pozhzhe
Would you call at ... o'clock	Позвоните, пожалуйста, в... часов	pazvaniti, pazhalsta, v... chisof
What is your phone number?	Какой номер вашего телефона?	kakoy nomir vashiva tilifona?

POST-OFFICE. TELEGRAPH. TELEPHONE
ПОЧТА. ТЕЛЕГРАФ. ТЕЛЕФОН

Is it your (his, her)... telephone?	Это ваш (его, её)... телефон?	eta vash (yivo, yiyo)... tilifon?
home	домашний	damashniy
office	служебный	sluzhebniy
Could you call me tomorrow at noon?	Позвоните, пожалуйста, мне завтра в 12 часов дня	pazvaniti, pazhalsta, mn'e zaftra v dvinatsat' chisof dn'a
Have you got my new phone number?	У вас есть мой новый номер телефона?	u vas yest' moy noviy nomir tilifona?
Where is the telephone box/booth here?	Где здесь телефон-автомат?	gd'e zd'es' tilifon-aftamat?
May I use your phone?	Мне можно позвонить от вас?	mn'e mozhna pazvanit' at vas?

Вас просят к телефону — You are wanted on the telephone

● WORDS

airmail	авиапочта	aviapochta
bell	звонок	zvanok
book/place a call	заказать разговор	zakazat' razgavor
box/booth	кабина	kabina
call	телефонный разговор	tilifonniy razgavor
communications	связь	sv'as'
connect	соединить	sayidinit'
engaged/busy (the line is busy)	занято	zanita
envelope	конверт	kanv'ert
extension number	добавочный номер	dabavachniy nomir
fill in a form	заполнить бланк	zapolnit' blank
letter	письмо	pis'mo
registered ~	заказное ~	zakasnoye ~

POST-OFFICE. TELEGRAPH. TELEPHONE
ПОЧТА. ТЕЛЕГРАФ. ТЕЛЕФОН

mail	почта	pochta
official addressee	получатель	paluchatil[i]
parcel	посылка	pasilka
postcard	почтовая открытка	pachtovaya atkritka
receipt	квитанция	kvitantsiya
send a telegram	послать телеграмму	paslat[i] tiligrammu
sender	отправитель	atpravitil[i]
sign v	расписаться	raspisatsa
telegram	телеграмма	tiligramma
express ~	срочная ~	srochnaya ~
international ~	международная ~	mizhdunarodnaya ~
telegraph n	телеграф	tiligraf
telegraph v	послать телеграмму	paslat[i] tiligrammu
telephone n	телефон	tilifon
home ~	домашний ~	damashniy ~
office ~	служебный ~	sluzhebniy ~
telephone book	телефонная книга	tilifonnaya kniga
telephone box/booth	телефон-автомат	tilifon-aftamat
telephone number	номер телефона, телефон	nomir tilifona, tilifon
teletype	телетайп	tilitayp
telex	телекс	t[i]eliks

CURRENCY EXCHANGE

ОБМЕН ВАЛЮТЫ

Where is...?	Где находится...?	gd'e nakhoditsa...?
the bank	банк	bank
the exchange office	обменный пункт	abm'enniy punkt
Where can I have my traveller's cheques cashed?	Где можно обменять дорожные чеки?	gd'e mozhna abmin'at' darozhnii cheki?
When is the bank open?	В какие часы работает банк?	f kakii chisi rabotait bank?
When is the exchange office open?	В какие часы работает обменный пункт?	f kakii chisi rabotait abm'enniy punkt?
What is the exchange rate for...?	Какой курс обмена...?	kakoy kurs abm'i ena...?
pounds [sterling]	фунтов стерлингов	funtaf st'erlingaf
US dollars	американских долларов	amirikanskikh dollaraf
West German marks	западногерманских марок	zapadnagirmanskikh marak
What is the commission fee?	Каков размер комиссионных?	kakof razm'er kamisionnikh?
Here is...	Вот...	vot...
my customs declaration	моя таможенная декларация	maya tamozhinaya diklaratsiya

41

CURRENCY EXCHANGE
ОБМЕН ВАЛЮТЫ

my passport	мой паспорт	moy paspart
my customs permission to exchange money	разрешение на обмен	razrisheniye na abm'en
Where do I sign?	Где мне расписаться?	gd'e mn'e raspisatsa?
Would you make note that I have exchanged my money, please	Сделайте, пожалуйста, отметку об обмене валюты	zd'elayti, pazhalsta, atm'etku ab abm'eni val'uti
Would you please give me fifty roubles in ten rouble notes/bills	Дайте мне, пожалуйста, пятьдесят рублей десятками	dayti mn'e, pazhalsta, piddis'at rubl'ey dis'atkami
Can you give me change for a twenty five rouble note/bill in fives?	Вы можете разменять двадцать пять рублей по пять?	vi mozhiti razmin'at' dvatsat' p'at' rubl'ey pa p'at'?
Could you get me change for a rouble, please?	Разменяйте рубль мелочью, пожалуйста	razmin'ayti rubl' m'elach'yu, pazhalsta
I have no small change	У меня нет мелочи	u min'a n'et m'elachi
bank	банк	bank
bank note/bill	банкнота, купюра	banknota, kup'ura
cash desk	касса	kassa
cash n money	получить деньги	paluchit' d'en'gi
cashier	кассир	kassir
change n	мелочь	m'elach
change currency	обменять валюту	abmin'at' val'utu
get change for money	разменять деньги	razmin'at' d'en'gi

WORDS

42

CURRENCY EXCHANGE
ОБМЕН ВАЛЮТЫ

currency	валюта	val'uta
customs declaration	таможенная декларация	tamozhinaya diklaratsiya
exchange	обмен	abm'en
exchange office	обменный пункт	abm'enniy punkt
money	деньги	d'en'gi
permission	разрешение	razrisheniye
rate of exchange	валютный курс	val'utniy kurs
rouble	рубль	rubl'
signature	подпись	potpis'
traveller's cheque	дорожный чек	darozhiy chek

RESTAURANT РЕСТОРАН

As a rule, tourists have their meals in the hotel where they are staying. However, besides the hotel restaurant, they can eat in any restaurant, café or snack-bar in the city. Generally speaking, restaurants are open from 11.00 in the morning till midnight. In several restaurants you can try national dishes of the Soviet Republics and other countries. For instance, in Moscow the "Aragvi" serves Georgian dishes, the "Minsk", "Uzbekistan", "Ukraina", "Peking", "Sofia" have Belorussian, Uzbek, Ukrainian, Chinese and Bulgarian dishes respectively.
Some Soviet national dishes can be had in specialised snack-bars — pelmeny, shashliks, pancakes and cheburecky. The choice of dishes in a café or snack-bar is not as wide as in a restaurant. In many restaurants during the day, that is, until 4 or 5 o'clock in the afternoon, you can have an à la carte meal. The choice of dishes is not very wide, but they are very cheap. One can still order a dinner from the evening menu, but it will be at higher ("evening") prices. In many hotels there are bars which are open till 2 or 3 in the morning.

National Food	**Национальные блюда**	
First Courses	**Первые блюда**	
borshch (beet-root soup with fried fat and onions), Ukrainian	борщ	borshch
kharcho (hot tomato, mutton and rice soup), Georgian	харчо	kharcho

44

okroshka *(cold soup made of vegetables and kvass, a traditional Russian fermented drink made of bread)*, *Russian*	окрошка	akroshka
oukha *(fish soup with potatoes)*, *Russian*	уха	ukha
shchee *(cabbage soup)*, *Russian*	щи	shchi
solyanka *(fish or meat soup with spices)*, *Russian*	солянка	sal'anka
svekolnik *(cold beet-root soup with fresh vegetables and sour cream)*, *Russian*	свекольник	svikol'nik

Second courses	**Вторые блюда**	
chebouryeky *(pasty/pie fried in deep fat)*	чебуреки	chibur'eki
Chicken Tabaká *(chicken roasted with garlic and spices)*, *Georgian*	цыплята табака	tsipl'ata tabaka
dolma *(grape leaves stuffed with minced meat)*, *Armenian*	долма	dalma
golubtsi *(cabbage leaves stuffed with minced meat and rice)*, *Russian*	голубцы	galuptsi
koulibyaka *(fish or meat pie)*, *Russian*	кулебяка	kulib'aka

pelmyeny *(Siberian meat dumplings)*, *Russian*	пельмени	pil'm'eni
pilau *(mutton with rice, pork, fat and seasoning)*, *Uzbek*	плов	plof
rasstegai *(small open pies with meat or fish stuffing, baked)*, *Russian*	расстегаи	rasstigai
shashlik (shish-kebab) *(mutton roasted on a skewer)*, *Georgian and Armenian*	шашлык	shashlik
varyeniky *(berry or cheese dumplings)*, *Ukrainian*	вареники	var'eniki

Menu   Меню

Breakfast   **Завтрак**

biscuits/cookies	печенье	pichen'ye
buckwheat cereal	гречневая каша	gr'echnivaya ka-sha
butter	масло	masla
cheese	сыр	sir
cheese pastry	ватрушки	vatrushki
coffee	кофе	kof'e
cottage cheese	творог	tvorak
eggs	яйца	yaytsa
boiled eggs	варёные яйца	var'onii yaytsa
fried eggs	яичница-глазунья	yiishnitsa-glazun'ya

46

ham and eggs	яичница с вет-чиной	yiishnitsa s vitchinoy
fried eggs with salted pork fat	яичница с салом	yiishnitsa s salam
scrambled eggs	яичница	yiishnitsa
soft-boiled eggs	яйца всмятку	yaytsa fsm'atku
ham	ветчина	vitchina
jam	варенье	var'en'ye
milk	молоко	malako
milky rice pudding/cereal	рисовая каша	risavaya kasha
oatmeal porridge	овсяная каша	afs'anaya kasha
omelette	омлет	aml'et
paté	паштет	pasht'et
roll	булочка	bulachka
sausage	колбаса	kalbasa
sausages/frankfurters	сосиски	sasiski

Hors d'oeuvres **Закуски**

black olives	маслины	maslini
caviar	икра	ikra
crab meat	крабы	krabi
ham	ветчина	vitchina
herring	селёдка	sil'otka
jellied fish	заливная рыба	zalivnaya riba
jellied meat	заливное мясо	zalivnoye m'asa
mushrooms (salted, pickled)	грибы (солёные, маринованные)	gribi (sal'onii, marinovanii)
salad	салат	salat
meat salad	мясной салат	misnoy salat

47

cucumber salad	салат из огурцов	salat iz agurtsof
tomato salad	салат из помидоров	salat is pamidoraf
vegetable salad	овощной салат	avashchnoy salat
shrimps	креветки	krivⁱetki
sturgeon	осетрина	asitrina

First courses — Первые блюда

consommé	бульон	bulⁱyon
chicken consommé	куриный бульон	kuriniy bulⁱyon
consommé with meat balls	бульон с фрикадельками	bulⁱyon s frikadelⁱkami
consommé with egg	бульон с яйцом	bulⁱyon s yiytsom
noodle soup	суп-лапша	sup-lapsha
soup	суп	sup
milk soup	молочный суп	malochniy sup
mushroom soup	грибной суп	gribnoy sup
white (French) bean soup	фасолевый суп	fasoliviy sup

Second courses — Вторые блюда

Fish — *Рыба*

carp	карп	karp
cod	треска	triska
perch	окунь	okunⁱ
pike	щука	shchuka
pike perch	судак	sudak
sturgeon	осетрина	asitrina
trout	форель	farelⁱ

Meat	*Мясо*	
beef	говядина	gav'adina
beef steak	бифштекс	bifshteks
beef stew	тушёное мясо	tushonaye m'asa
beef stroganoff	бефстроганов	bifstroganaf
fillet	филе	fil'e
goulash	гуляш	gul'ash
hot pot	жаркое	zharkoye
kidneys	почки	pochki
liver	печёнка	pichonka
mutton	баранина	baranina
roast meat	жареное мясо	zharinaye m'asa
veal	телятина	til'atina
Poultry and Game	*Птица и дичь*	
chicken	цыплёнок	tsipl'onak
duck	утка	utka
goose	гусь	gus'
hazel-hen	рябчик	r'apchik
quail	перепёлка	pirip'olka
turkey	индейка	ind'eyka
Cereal and milk dishes	**Мучные, крупяные и молочные блюда**	
cheese	сыр	sir
cottage cheese	творог	tvorak
Dutch cheese	голландский сыр	galanskiy sir
Rossiysky cheese	российский сыр	rasiyskiy sir
Swiss cheese	швейцарский сыр	shviytsarskiy sir

cheese pan-cakes	сырники	sírniki
cream	сливки	slífki
milk	молоко	malakо
oatmeal porridge	овсяная каша	afsᶦanaya kasha
sour-cream	сметана	smitana
yogurt	кефир	kifír

Vegetables — **Овощи**

beans	бобы	babi
green beans	стручковая фасоль	struchkovaya fasolᶦ
white (French) beans	фасоль	fasolᶦ
beetroot/beets	свёкла	svᶦokla
black olives	маслины	maslini
cabbage	капуста	kapusta
carrots	морковь	markofᶦ
cauliflower	цветная капуста	tsvitnaya kapusta
cucumbers	огурцы	agurtsi
fennel/dill	укроп	ukrop
garlic	чеснок	chisnok
green peas	зелёный горошек	zilᶦoniy garoshik
lettuce	салат	salat
onions	лук	luk
parsley	петрушка	pitrushka
potatoes	картофель	kartofílᶦ
radishes	редиска	ridiska
sauerkraut	квашеная капуста	kvashinaya kapusta
spinach	шпинат	shpinat
tomatoes	помидоры	pamidori
winter-radish	редька	rᶦetᶦka

Dessert	**Десерт**	
gateau/cake	торт	tort
ice-cream	мороженое	marozhinaye
ice-cream special	фирменное мороженое	firminaye marozhinaye
ice-cream with jam	мороженое с вареньем	marozhinaye s var'en'yem
ice-cream with nuts	мороженое с орехами	marozhinaye s ar'ekhami
jelly/jello	желе	zhil'e
pastries, cream cakes	пирожное	pirozhnaye
tart/pie	пирог	pirok
tea	чай	chay
whipped cream	взбитые сливки	vzbitii slifki
Fruit	*Фрукты*	
apples	яблоки	yablaki
apricots	абрикосы	abrikosi
bananas	бананы	banani
currants	смородина	smarodina
black currants	чёрная смородина	chornaya smarodina
red currants	красная смородина	krasnaya smarodina
white currants	белая смородина	b'elaya smarodina
grapefruit	грейпфрут	greypfrut
grapes	виноград	vinagrat
lemons	лимоны	limoni
melon	дыня	din'a
oranges	апельсины	apil'sini
peaches	персики	p'ersiki

pears	груши	grushi
pineapple	ананас	ananas
plums	сливы	slivi
raspberries	малина	malina
strawberries	клубника	klubnika
tangerines	мандарины	mandarini
watermelon	арбуз	arbus

Drinks | **Напитки** |

cocoa	какао	kakao
coffee	кофе	kof'e
coffee with milk	кофе с молоком	kof'e s mala-kom
coffee with lemon	кофе с лимоном	kof'e s limo-nam
coffee with ice-cream	кофе с мороже-ным	kof'e s maro-zhinim
Turkish coffee	кофе по-турецки	kof'e pa-tur'etski
hot chocolate	шоколад	shikalat
juice	сок	sok
apple juice	яблочный сок	yablachniy sok
apricot juice	абрикосовый сок	abrikosaviy sok
grape juice	виноградный сок	vinagradniy sok
orange juice	апельсиновый сок	apil'sinaviy sok
plum juice	сливовый сок	slivaviy sok
tomato juice	томатный сок	tamatniy sok
Pepsi-Cola	пепси-кола	p'epsi-kola
soda water	лимонад	limanat
tea	чай	chay
tea with lemon	чай с лимоном	chay s limonam
tea with milk	чай с молоком	chay s malakom

water	вода	vada
mineral water	минеральная во-да	miniral'naya vada
I am (We are) hungry	Я проголодался (Мы проголода-лись)	ya pragaladals'a (mi pragaladalis')
I would like to have dinner (supper)	Мне бы хотелось пообедать (поужи-нать)	mn'e bi khat'elas' paab'edat' (pauzhinat')
Can you recommend us a good restaurant?	Вы можете поре-комендовать нам хороший ресторан?	vi mozhiti parika-mindavat' nam kharoshiy rista-ran?
Where can I...?	Где можно...?	gd'e mozhna...?
have a snack	быстро переку-сить	bistra pirikusit'
eat at a reasonable price	недорого поесть	nidoraga payest'
have some coffee	выпить кофе	vipit' kof'e
Is there a restaurant (a café) nearby?	Есть ли поблизо-сти ресторан (ка-фе)?	yest' li pablizasti ristaran (kafe)?
I would like to try some traditional Russian food	Мне бы хотелось попробовать на-циональные рус-ские блюда	mn'e bi khat'e-las' paprobavat' natsianal'nii ru-skii bl'uda
Is this table free? We need a table for two (three)	Этот столик сво-боден? Нам нужен столик на двоих (троих)	etat stolik svabodin? nam nuzhin stolik na dvaikh (traikh)
Is there a band in the restaurant?	Есть ли в рестора-не оркестр?	yest' li v ristara-ni ark'estr?
We would like to look at the menu	Дайте, пожалуй-ста, меню	dayti, pazhalsta, mi-n'u
I am (We are) not ready to order yet	Я (Мы) ещё не выбрал(-а) (не вы-брали)	ya (mi) yishcho ni vibral(-a) (ni vibra-li)

I am (We are) in a hurry	Я очень торо-плюсь (Мы очень торопимся)	ya ochin¹ tara-pl¹us¹ (mi ochin¹ taropims¹a)
Would you serve us quickly, please, we are in a terrible hurry	Вы не можете об-служить нас бы-стрее? Мы ужасно торопимся	vi ni mozhiti apslu-zhit¹ nas bist-r¹eye? mi uzhasna ta-ropims¹a
Would you bring... please	Принесите, пожа-луйста...	prinisiti, pazhalsta...
a napkin	салфетку	salf¹etku
an ash-tray	пепельницу	p¹epil¹nitsu
a spoon	ложку	loshku
a knife	нож	nosh
a fork	вилку	vilku
We need one more setting	Не хватает одного прибора	ni khvatait adnavo pribora
What do you re-commend...?	Что бы вы могли порекомендо-вать...?	shto bi vi magli pa-rikamindavat¹...?
for a traditional Russian meal	из русских нацио-нальных блюд	iz ruskikh natsia-nal¹nikh bl¹ut
for hors d'oeuvres	из закусок	iz zakusak
for dessert	на десерт	na dis¹ert
Have you a special-ity of the house?	У вас есть фир-менные блюда?	u vas yest¹ firmi-nii bl¹uda?
I am on a diet	Я на диете	ya na diyeti
Could I (we) have some... please	Принесите мне (нам)... пожалуй-ста	prinisiti mn¹e (nam)... pazhalsta
butter	масла	masla
cheese	сыра	sira
caviar	икры	ikri
I would like my steak...	Я люблю биф-штекс...	ya l¹ubl¹u bif-shteks...

54

rare	с кровью	s krovⁱyu
medium rare	немного недожаренный	nimnoga nidazhariniy
well done	хорошо прожаренный	kharasho prazhariniy
There is too much salt in this	Это блюдо пересолено	eta blⁱuda pirisolina
The meat is...	Это мясо...	eta mⁱasa...
too rare	недожарено	nidazharina
overdone	пережарено	pirizharina
Could you change this?	Это можно заменить?	eta mozhna zaminⁱitⁱ?
We should like some... please	Будьте добры, принесите нам...	butti dabri, prinisiti nam...
ice-cream	мороженое	marozhinaye
pastries	пирожные	pirozhnii
fruit salad	фруктовый салат	fruktoviy salat
coffee	кофе	kofⁱe
tea with lemon	чай с лимоном	chay s limonam
mineral water	минеральную воду	miniralⁱnuyu vodu
Will you pass me... please	Передайте, пожалуйста...	piridayti, pazhalsta...
the salt	соль	solⁱ
the mustard	горчицу	garchitsu
the pepper	перец	pⁱerits
the sauce	соус	sous
Would you like some more?	Положить вам ещё?	palazhitⁱ vam yishcho?
Could I have some...	Положите мне немного...	palazhiti mnⁱe nimnoga ...
fish	рыбы	ribi
salad	салата	salata
caviar	икры	ikri

55

Thank you, that is enough	Спасибо, достаточно	spasiba, dastatachna
Не хотите попробовать...? Вам нравится?		Would you like to try...? Do you like it?
I like your cooking	Мне нравится ваша кухня	mn'e nravitsa vasha kukhn'a
That was very good	Было очень вкусно	bila ochin' fkusna
Could I have the cheque, please	Счёт, пожалуйста	shchot, pazhalsta

WORDS

baked in batter	запечённое в тесте	zapichonaye f t'esti
bill	счёт	shchot
pay a ~	заплатить по счёту	zaplatit' pa shchotu
bitter	горький	gor'kiy
boiled	отварное	atvarnoye
bread	хлеб	khl'ep
breakfast	завтрак	zaftrak
have ~	завтракать	zaftrakat'
coffee-pot	кофейник	kaf'eynik
cold	холодный	khalodniy
cup	чашка	chashka
delicious	вкусный	fkusniy
diet	диета	diyeta
be on a ~	соблюдать диету	sabl'udat' diyetu
dinner	обед	ab'et
have ~	обедать	ab'edat'
eat	есть	yest'
fork	вилка	vilka
glass	стакан	stakan

RESTAURANT
РЕСТОРАН

hot	горячий	garⁱachiy
hot (spicy)	острый	ostriy
invite	приглашать	priglashatⁱ
knife	нож	nosh
lunch	ленч, обед	lⁱench, abⁱet
have ~	обедать	abⁱedatⁱ
meal	еда	yida
have a ~	поесть	payestⁱ
milk-pitcher	молочник	malochnik
mustard	горчица	garchitsa
olive oil	оливковое масло	alifkavaye masla
order v	заказать	zakazatⁱ
pepper	перец	pⁱerits
place setting	прибор	pribor
plate	тарелка	tarⁱelka
soup ~	глубокая ~	glubokaya ~
raw	сырой	siroy
roasted	жареное	zharinaye
salt	соль	solⁱ
salty	солёный	salⁱoniy
sauce	соус	sous
saucer	блюдце	blⁱuttse
serve	обслуживать	apsluzhivatⁱ
sour	кислый	kisliy
spoon	ложка	loshka
soup ~	столовая ~	stalovaya ~
dessert ~	десертная ~	disⁱertnaya ~
tea ~	чайная ~	chaynaya ~
steamed	паровое	paravoye
stewed	тушёное	tushonaye

RESTAURANT
РЕСТОРАН

stuffed	фаршированное	farshirovanaye
sugar	сахар	sakhar
supper	ужин	uzhin
have ~	ужинать	uzhinat[i]
sweet	сладкий	slatkiy
syrupy	приторный	pritarniy
taste *n*	вкус	fkus
tasteless	безвкусный	bisfkusniy
tasty	вкусный	fkusniy
tea-pot	чайник	chaynik
try (food)	пробовать	probavat[i]
vinegar	уксус	uksus

EVERYDAY SERVICES

БЫТОВОЕ ОБСЛУЖИВАНИЕ

HAIRDRESSER'S
At Ladies' Hairdresser's

ПАРИКМАХЕРСКАЯ
В дамском зале

Is there a beauty salon at the hotel?	В гостинице есть парикмахерская?	v gastinitsi yest' parikmakhirskaya?
Can I make an appointment with the hairdresser	Могу я записаться к мастеру?	magu ya zapisatsa k mastiru?
I would like to make an appointment for... o'clock today (tomorrow)	Я хотела бы записаться на сегодня (завтра) на... часов	ya khat'ela bi zapisatsa na sivodn'a (zaftra) na... chisoɟ
Can you fit me in on Wednesday?	Можно ли записаться на среду?	mozhna li zapisatsa na sr'edu?
Will ten o'clock be all right?	Могу ли я прийти в десять?	magu li ya priyti v d'esit'?
I would like to have...	Мне бы хотелось...	mn'e bi khat'elas'...
my hair dyed chestnut	покрасить волосы в каштановый цвет	pakrasit' volosi f kashtanaviy tsv'et
my hair blow-dried	уложить волосы феном	ulazhit' volosi f'enam
my hair bleached	обесцветить волосы	abistsv'etit' volasi

59

a perm	сделать химическую завивку	zd'elat' khimichiskuyu zavifku
The hairdrier is cold (too hot)	Сушилка холодная (слишком горячая)	sushilka khalodnaya (slishkam gar'achaya)
Can I have my hair shampooed, please	Вымойте мне голову, пожалуйста	vimayti mn'e golavu, pazhalsta
Can I have my hair sprayed, please	Покройте волосы лаком, пожалуйста	pakroyti volasi lakam, pazhalsta
No hairspray, please	Не покрывайте лаком, пожалуйста	ni pakrivayti lakam, pazhalsta
I would like to have a manicure	Я хотела бы сделать маникюр	ya khat'ela bi zd'elat' manik'ur
Would you trim the nails, please	Ногти немного короче, пожалуйста	nokti nimnoga karochi, pazhalsta
Would you use light (dark) varnish/polish, please	Покройте, пожалуйста, светлым (тёмным) лаком	pakroyti, pazhalsta, sv'etlim (t'omnim) lakam
Would you take the varnish/polish off, please	Снимите, пожалуйста, лак	snimiti, pazhalsta, lak

At the barber's В мужском зале

Is there a barber('s) (shop) at the hotel?	В гостинице есть парикмахерская?	v gastinitsi yest' parikmakhirskaya?
I would like to have...	Я хотел бы...	ya khat'el bi...
a shave	побриться	pabritsa
a haircut	постричься	pastrichs'a
my beard (moustache) shaved off	сбрить бороду (усы)	zbrit' boradu (usi)

Do I have to wait long?	Долго ли придётся ждать?	dolga li pridⁱotsa zhdatⁱ?
I want my hair cut not too short	Пожалуйста, не очень коротко	pazhalsta, ni ochinⁱ koratka
That's all right	Так хорошо	tak kharasho
Would you just trim it, please	Подровняйте, пожалуйста	padravnⁱayti, pazhalsta
Don't change the shape, please	Форму оставьте прежней	formu astafⁱti prⁱezhniy
Can I have my hair shampooed, please?	Вымойте голову, пожалуйста	vimayti golavu, pazhalsta
barber's	парикмахерская (мужской зал)	parikmakhirskaya (mushskoy zal)
beard	борода	barada
beauty salon	парикмахерская (дамский зал)	parikmakhirskaya (damskiy zal)
blade	лезвие	lⁱezviye
cleansing lotion	лосьон	lasⁱyon
cologne	одеколон	adikalon
eyebrows	брови	brovi
eyelashes	ресницы	risnitsi
colour ~	покрасить ~	pakrasitⁱ ~
hair	волосы	volasi
have one's ~ dried	высушить ~	visushitⁱ ~
have one's ~ dyed	покрасить ~	pakrasitⁱ ~
have one's ~ set	уложить ~	ulazhitⁱ ~
have one's ~ shampooed	вымыть ~	vimitⁱ ~
hair colouring	окраска волос	akraska valos
haircut	стрижка	strishka
have a ~	постричь волосы	pastrich volasi

hairdo	причёска	prichoska
hair dryer	сушилка для волос	sushɨlka dlʲa valos
hair dye	краска для волос	kraska dlʲa valos
(hair) set	укладка	uklatka
hairspray	лак для волос	lak dlʲa valos
head	голова	galava
make an appointment [with a hairdresser]	записаться [к мастеру]	zapisatsa [k mastiru]
manicure	маникюр	manikʲur
have a ~	сделать ~	zdʲelatʲ ~
massage	массаж	masash
mirror	зеркало	zʲerkala
moustache	усы	usɨ
nail	ноготь	nogatʲ
nails	ногти	nokti
nail varnish/polish	лак для ногтей	lak dlʲa naktʲey
neck	шея	sheya
parting/part	пробор	prabor
~ in the middle	прямой ~	primoy ~
~ at the side	косой ~	kasoy ~
pedicure	педикюр	pidikʲur
perm	химическая завивка	khimichiskaya zavifka
razor	бритва	britva
scissors	ножницы	nozhnitsɨ
shampoo	шампунь	shampunʲ
shaving	бритьё	britʲyo
shaving cream	крем для бритья	krʲem dlʲa britʲya

sideburns	баки	baki
temple	висок	visok

SHOE REPAIR

РЕМОНТ ОБУВИ

Where is the nearest shoe repair shop?	Где ближайшая мастерская по ремонту обуви?	gdⁱe blizhayshaya mastirskaya pa rimontu obuvi?
Can I have my... mended/repaired?	Вы можете починить мне...?	vi mozhiti pachinitⁱ mnⁱe...?
shoes	туфли	tufli
boots	ботинки	batinki
high boots	сапоги	sapagi
sandals	босоножки	basanoshki
Could you fix the heel on, please	Пожалуйста, прибейте каблук	pazhalsta, pribⁱeyti kabluk
Could you change the (heel) taps/(top) lifts, please	Поменяйте, пожалуйста, набойки	paminⁱayti, pazhalsta, naboyki
Could you change the soles?	Можете ли вы заменить подмётки?	mozhiti li vi zaminitⁱ padmⁱotki?
Could you sew the strap on, please	Пожалуйста, пришейте ремешок	pazhalsta, prisheyti rimishok
Can you put in a new zip/zipper?	Вы можете заменить молнию?	vi mozhiti zaminitⁱ molniyu?
Could you mend the shoe up here?	Зашейте, пожалуйста, вот здесь	zasheyti, pazhalsta, vot zdⁱesⁱ
Can you do it right now?	Можно ли это сделать при мне?	mozhna li eta zdⁱelatⁱ pri mnⁱe?
When will it be ready?	Когда это будет готово?	kagda eta budit gatova?
Would you wait for twenty minutes (half an hour), please	Подождите, пожалуйста, двадцать минут (полчаса)	padazhditi, pazhalsta, dvatsatⁱ minut (polchisa)

◆ PHRASES

63

WORDS

How much do I pay?	Сколько с меня?	skol'ka s min'a?
boots	ботинки	batinki
fasten	прибить	pribit'
~ the heel	~ каблук	~ kabluk
~ the soles	~ подмётки	~ padm'otki
fix heel taps on	поставить набойки	pastavit' naboyki
heel	каблук	kabluk
heel tap/top (lift)	набойка	naboyka
high (fashion) boots	сапоги	sapagi
put in a zip/zipper	вставить молнию	fstavit' molniyu
sandals	босоножки	basanoshki
shoes	туфли	tufli
shoe repair	ремонт обуви	rimont obuvi
sole	подошва, подмёт-ка	padoshva, padm'otka
strap	ремешок	rimishok
urgent	срочный	srochniy
zip/zipper	молния	molniya

WATCH REPAIR / РЕМОНТ ЧАСОВ

PHRASES

Could I have my watch mended/repaired?	Вы не могли бы починить мои часы?	vi ni magli bi pachinit' mai chisi?
My watch...	Мои часы...	mai chisi...
has stopped	остановились	astanavilis'
won't go	не идут	ni idut
is slow	отстают	atstayut
gains twenty minutes a day	спешат на двадцать минут	spishat na dvatsat' minut
I have dropped my watch	Я уронил часы	ya uranil chisi

The glass/crystal is broken	Разбилось стекло	razbilasⁱ stiklo
Could you replace the battery?	Замените, пожалуйста, батарейку в часах	zaminiti, pazhalsta, batarⁱeyku f chisakh
The watch needs...	Часы нужно...	chisi nuzhna...
adjusting	отрегулировать	atriguliravatⁱ
cleaning	почистить	pachistitⁱ
repairing	починить	pachinitⁱ
Could you replace the glass/crystal?	Вы можете вставить стекло?	vi mozhiti fstavitⁱ stiklo?
The watch calendar does not work	В моих часах испортился календарь	v maikh chisakh isportilsⁱa kalindarⁱ
When can I have it back?	Когда будет готово?	kagda budit gatova?
In an hour (Tomorrow)	Через час (Завтра)	chiris chas (zaftra)

adjust	отрегулировать	atriguliravatⁱ
alarm clock	будильник	budilⁱnik
battery watch	электронные часы	eliktronnii chisi
body	корпус	korpus
clean v	почистить	pachistitⁱ
clock	настенные часы	nastⁱennii chisi
electric clock	автоматические часы	aftamatichiskii chisi
face	циферблат	tsifirblat
glass crystal	стекло	stiklo
hand	стрелка	strⁱelka
minute ~	минутная ~	minutnaya ~
second ~	секундная ~	sikundnaya ~
pocket watch	карманные часы	karmannii chisi

● WORDS

repair v	починить	pachinit[i]
replace the glass/crystal	заменить стекло	zaminit[i] stiklo
watch	часы	chisi
watch battery	батарейка для часов	batar[i]eyka dl[i]a chisof

CAMERA, CINE-CAMERA RE-PAIRSHOP

РЕМОНТ ФОТО- И КИНОАППА-РАТОВ

I've got to have my camera (cinecamera) urgently repaired	Мне нужно срочно отремонтировать фотоаппарат (кинокамеру)	mn[i]e nuzhna srochna atrimantiravat[i] fotaaparat (kinakamiru)
Where is the nearest camera repair-shop?	Где ближайшая мастерская?	gd[i]e blizhayshaya mastirskaya
Can I have my camera fixed? I've dropped it	Вы можете починить фотоаппарат? Я его уронил	vi mozhiti pachinit[i] fotaaparat? ya yivo uranil
The shutter does not close	Не устанавливается выдержка	ni ustanavlivaitsa vidirshka
The light-meter does not work	Не работает экспонометр	ni rabotait ekspanomitr
The film tears	Рвётся плёнка	rv[i]otsa pl[i]onka
The film does not advance	Плёнка не перематывается	pl[i]onka ni pirimativaitsa
It won't focus	Не наводится фокус	ni navoditsa fokus
The flash does not work	Не включается вспышка	ni fkl[i]uchaitsa fspishka
The lens (the cassette, the shutter) jams	Заедает объектив (кассету, затвор)	zayidait abyiktif (kas[i]etu, zatvor)
camera	фотоаппарат	fotaaparat

PHRASES

cinecamera	киноаппарат, кинокамера	kinaaparat, kinakamira
have a camera (cinecamera) fixed	отремонтировать фотоаппарат (кинокамеру)	atrimantiravatⁱ fotaaparat (kinakamiru)
exposure	выдержка	vidirshka
set the ~	установить выдержку	ustanavitⁱ vidirshku
film *n*	плёнка	plⁱonka
black and white ~	чёрно-белая ~	chorna-bⁱelaya ~
colour ~	цветная ~	tsvitnaya ~
revers ~	обратимая ~	abratimaya ~
develop a ~	проявить плёнку	prayivitⁱ plⁱonku
flash	вспышка	fspishka
focus	фокус	fokus
lens	объектив	abyiktif
light-meter	экспонометр	ekspanomitr
photographer's studio	фотоателье	fotaatelⁱye
sequence	кадр	kadr
shutter	затвор	zatvor
shutter release	кнопка спуска	knopka spuska
view-finder	видоискатель	vidaiskatilⁱ

AT A DRY CLEANER'S — В ХИМЧИСТКЕ

I need these things dry-cleaned fast	Мне нужно отдать эти вещи в срочную химчистку	mnⁱe nuzhna addatⁱ eti vⁱeshchi f srochnuyu khimchistku
Can you remove	Вы можете выве-	vi mozhⁱti vⁱvisti

• WORDS

◆ PHRASES

this stain right now, please?	сти это пятно при мне?	eta pitno pri mnⁱe?
This is a coffee (tea) stain	Это пятно от кофе (чая)	eta pitno at kofⁱe (chaya)
Could you sew a button on?	Вы можете пришить пуговицу?	vⁱ mozhiti prishit' pugavitsu?
When can I have it back?	Когда будет готово?	kagda budit gatova?
Can I have it back...?	Будет ли готово...?	budit li gatova...?
tonight	сегодня вечером	sivodnⁱa vⁱechiram
tomorrow morning	завтра утром	zaftra utram
the day after tomorrow	послезавтра	poslizaftra
Подождите немного		Wait a bit
Вещь нужно оставить		You have to leave it here
Возьмите квитанцию		Take the receipt, please
cleaning	чистка	chistka
fast ~	срочная ~	srochnaya ~
dry cleaning	химчистка	khimchistka
have a suit dry-cleaned	почистить костюм	pachistitⁱ kastⁱum
have things dry-cleaned fast	сдать вещи в срочную химчистку	zdatⁱ vⁱeshchi f srochnuyu khimchistku
stain, spot	пятно	pitno
have a ~ removed	вывести ~	vivisti ~

MEETINGS. CONFERENCES

ЗАСЕДАНИЯ. КОНФЕРЕНЦИИ

ORGANIZATIONAL QUESTIONS

ОРГАНИЗАЦИОННЫЕ ВОПРОСЫ

Which countries are represented here?	Какие страны представлены на этой встрече?	kakii strani pritstavlini na etay fstr'echi?
How many delegates will participate in...?	Сколько делегатов примет участие в работе...?	skol'ka diligataf primit uchastiye v raboti...?
the Congress	съезда	syezda
the Forum	форума	foruma
the Symposium	симпозиума	simpoziuma
the Conference	конференции	kanfir'entsii
I am here as...	Я здесь в качестве...	ya zd'es' f kachistvi...
an observer	наблюдателя	nabl'udatil'a
a guest	гостя	gost'a
a guest of honour	почётного гостя	pachotnava gost'a
an expert	эксперта	eksp'erta
I am a member of...	Я член...	ya chl'en...
the Preparatory Committee	подготовительного комитета	padgatavitil'nava kamit'eta
the Drafting Committee	редакционной комиссии	ridaktsionnay kamisii

69

the Technical Committee	технической комиссии	tikhnichiskay kamisii
Where is...?	Где находится...?	gd^{i}e nakhoditsa...?
the information desk	бюро информации	b^{i}uro infarmatsii
the Organizing Committee Secretariat	секретариат оргкомитета	sikritariat orkkamit^{i}eta
the press-centre	пресс-центр	pr^{i}es-tsentr
the typing pool	машбюро	mashb^{i}uro
Where do the translators sit?	Где находится служба перевода?	gd^{i}e nakhoditsa sluzhba pirivoda?
On... floor	на... этаже	na... etazhe
Where can I find...?	Где можно получить...?	gd^{i}e mozhna paluchit^i...?
earphones (headphones, a headset)	наушники	naushniki
a list of the participants	список участников	spisak uchasnikaf
copies of the speeches	тексты докладов	t^{i}eksti dakladaf
the Conference Programme	программу конференции	pragramu kanfir^{i}entsii
When (Where) is the regular meeting of...?	Когда (Где) будет проводиться заседание...?	kagda (gd^{i}e) budit pravaditsa zasidaniye...?
the working group	рабочей группы	rabochiy grup^i
the Secretariat	секретариата	sikritariata
When (Where) will they meet next time?	Когда (Где) состоится очередное заседание?	kagda (gd^{i}e) sastaitsa achiridnoye zasidaniye?
When is the opening (the closing) held?	Когда состоится открытие (закрытис)?	kagda sastaitsa atkritiye (zakritiye)?

When will the reception take place?	Когда состоится приём?	kagda sastaitsa priyom?
What is the social program?	Какая культурная программа?	kakaya kul'turnaya pragrama?
What is on the agenda?	Какая повестка дня?	kakaya pav'estka dn'a?

SPEECHES — ДОКЛАД

I represent...	Я представляю...	ya pritstavl'ayu...
the World Federation of Trade-Unions	Всемирную федерацию профсоюзов	fsimirnuyu fidiratsıyu prafsayuzaf
my country's trade-unions	профсоюзы моей страны	prafsayuzi mayey strani
the Young Communist League	Союз молодых коммунистов	sayus maladikh kamunistaf
the International Student Union	Международный союз студентов	mizhdunarodniy sayus stud'entaf
the Communist Party	коммунистическую партию	kamunistichiskuyu partiyu
the Christian Democrats	христианско-демократическую партию	khristiaska-dimakratichiskuyu partiyu
the Socialists	социалистов	satsialistaf

I am here to represent...	Я уполномочен представлять...	ya upalnamochin pritstavl'at'...
a research society	научно-техническое общество	nauchna-tikhnichiskaye opshchistva
a Foreign Trade Association	внешнеторговое объединение	vn'eshnitargovaye abyidin'eniye
a research centre	научно-исследовательский центр	nauchna-issl'edavatil'skiy tsentr
I would like to present a paper	Я хочу выступить с докладом	ya khachu vistupit' z dakladam

PHRASES

71

Here is the text of my statement	Вот текст моего доклада	vot t'ekst maivo daklada
I would like to take part in the discussion	Я хочу принять участие в дискуссии	ya khachu prin'at' uchastiye v diskusii
Would you please put me on the list of the speakers	Запишите меня, пожалуйста, в список ораторов	zapishiti min'a, pazhalsta, f spisak arataraf
I am going to speak at the Committee	Я буду выступать в комиссии	ya budu vistupat' f kamisii
I have my notes	У меня есть текст выступления	u min'a yest' t'ekst vistupl'eniya
I have no notes	У меня нет текста выступления	u min'a n'et t'eksta vistupl'eniya
I don't intend to use any notes	Я буду говорить без текста	ya budu gavarit' bis t'eksta
Who must I give my notes to?	Куда передать текст моего доклада?	kuda piridat' t'ekst maivo daklada?
Would you please pass my notes over to the interpreters' booth	Передайте, пожалуйста, текст моего выступления в кабину переводчиков	piridayti, pazhalsta, t'ekst maivo vistupl'eniya f kabinu pirivotchikaf
Would you please type it up for me	Пожалуйста, перепечатайте этот текст на машинке	pazhalsta, piripichatayti etat t'ekst na mashinki
I am going to speak...	Я буду говорить...	ya budu gavarit'...
Spanish	по-испански	pa-ispanski
English	по-английски	pa-angliyski
French	по-французски	pa-frantsuski
I am going to present a paper at a... session	Я сделаю доклад на... заседании	ya zd'elayu daklat na... zasidanii

plenary	пленарном	plinarnam
evening	вечернем	vichernim
morning	утреннем	utrinnim
I am going to take part in the Round Table discussion	Я выступлю на встрече «за круглым столом»	ya vistupl'u na fstr'echi za kruglim stalom

DISCUSSION ДИСКУССИЯ

Mr. Chairman, may I have the floor?	Господин председатель, прошу слова	gaspadin pritsidatil', prashu slova
I have several things to criticise (questions, suggestions)	У меня есть несколько замечаний (вопросов, предложений)	u min'a yest' n'eskal'ka zamichaniy (vaprosaf, pridlazheniy)
I (We) have...	У меня (нас) нет...	u min'a (nas) n'et...
no questions	вопросов	vaprosaf
no objections	возражений	vazrazheniy
nothing to say	замечаний	zamichaniy
I have nothing to add	У меня нет добавлений	u min'a n'et dabavl'eniy
I (don't) agree with...	Я (не) согласен (согласна)...	ya (ni) saglasin (saglasna)...
your opinion	с вашим мнением	s vashim mn'eniyem
your point of view	с вашей точкой зрения	s vashiy tochkay zr'eniya
your arguments	с вашими доводами	s vashimi dovadami
the way you've presented the problem (question)	с такой постановкой проблемы (вопроса)	s takoy pastanofkay prabl'emi (vaprosa)
I suggest that we..	Предлагаю...	pridlagayu...
adopt the agenda	утвердить повестку дня	utvirdit' pav'estku dn'a

discuss the problem (the paper) at the next session	обсудить этот вопрос (доклад) на следующем заседании	apsuditⁱ etat vapros (daklat) na slⁱeduyush- chim zasidanii
I uphold this suggestion	Я поддерживаю это предложение	ya paddⁱerzhi- vayu eta pridlazhe- niye
I would like to... comment	Я хотел(-а) бы... сделать замеча- ние	ya khatⁱel(-a) bɨ... zdⁱelatⁱ za- michaniye
put forward an amendment	внести поправку	vnisti paprafku
ask a question	задать вопрос	zadatⁱ vapros
voice my opinion	высказать своё мнение	viskazatⁱ svayo mnⁱeniye

DOCUMENTS ДОКУМЕНТЫ

These documents must be copied	Эти документы надо размножить	eti dakumⁱenti nada razmnozhitⁱ
Would you please type five copies of this paper	Пожалуйста, пере- печатайте этот до- кумент на машин- ке в пяти экзем- плярах	pazhalsta, piripicha- tayti etat dakumⁱ- ent na mashinki f piti egzemplⁱa- rakh
Will this paper be circulated?	Будет ли распрос- транён этот доку- мент?	budit li rasprastra- nⁱon etat daku- mⁱent?
Could I have this statement circulated before the begin- ning of the session?	Распространите этот документ до начала заседания	rasprastraniti etat dakumⁱent da nachala zasidaniya
We have (not) re- ceived a copy of this paper	Мы (не) получили этот документ	mɨ (ni) paluchili etat dakumⁱent
We are (not) fami- liar with the paper	Мы (не) ознакоми- лись с этим доку- ментом	mɨ (ni) aznakomi- lisⁱ s etim daku- mⁱentam
Where can one find	Где можно озна-	gdⁱe mozhna

this material?	комиться с этим документом?	aznakomitsa s etim dakum'entam?
Was this material (question) discussed before?	Рассматривался ли этот документ (вопрос) ранее?	rassmatrivals'a li etat dakum'ent (vapros) raniye?
I suggest we...	Предлагаю...	pridlagayu...
make changes here	изменить	izminit'
cross out	вычеркнуть	vichirknut'
insert	вставить	fstavit'
add	добавить	dabavit'
Will a resolution be drafted?	Будет ли приниматься резолюция?	budit li prinimatsa rizal'utsiya?
Our delegation approves (does not approve) of the material	Наша делегация (не) одобряет этот документ	nasha diligatsiya (ni) adabr'ait etat dakum'ent
We totally agree with the statement	Мы полностью согласны с этим документом	mi polnast'yu saglasni s etim dakum'entam
The materials (do not) reflect our point of view	Эти документы (не) отражают нашу точку зрения	eti dakum'enti (ni) atrazhayut nashu tochku zr'eniya

VOTING ГОЛОСОВАНИЕ

What is the voting procedure?	Какая процедура голосования?	kakaya pratsidura galasavaniya?
Will the ballot be...?	Голосование будет...?	galasavaniye budit...?
secret	тайным	taynim
open	открытым	atkritim
on the list of nominations (as a whole)	списком	spiskam
individual	по каждой кандидатуре отдельно	pa kazhday kandidaturi add'el'na

by roll call	поимённым	paimⁱonn_im
by a show of hands	поднятием руки	padnⁱatiyem ruk**i**
I abstain from the voting	Я воздерживаюсь от голосования	ya vazdⁱerzhivayusⁱ ad galasavaniya
Yes	Я за	ya za
No	Я против	ya protif
I second the motion	Я поддерживаю это предложение	ya paddⁱerzhivayu eta pridlazheniye
When will the result of the vote be announced?	Когда будут объявлены результаты голосования?	kagda budut abyavlin<del>i</del> rizulⁱtati galasavaniya?

● WORDS

abstain from voting	воздерживаться от голосования	vazdⁱerzhivatsa ad galasavaniya
agenda	повестка дня	pavⁱestka dnⁱa
adopt the ~	утверждать повестку дня	utvirzhdatⁱ pavⁱestku dnⁱa
amendment	поправка	paprafka
make an ~	внести поправку	vnisti paprafku
ask for the floor	просить слова	prasitⁱ slova
balloting	голосование	galasavaniye
circulate papers	распространять документ	rasprastranⁱatⁱ dakumⁱent
closing	закрытие	zakritiye
colloquium	коллоквиум	kalokvium
committee	комиссия	kamisiya
drafting ~	редакционная ~	ridaktsionnaya ~
conference	конференция	kanfirⁱentsiya
international ~	международная ~	mizhdunarodnaya ~
conference hall	конференц-зал	kanfirⁱents-zal

conference organizers	организаторы конференции	arganizatari kanfir'entsii
conference program	программа конференции	pragrama kanfir'entsii
consultation	консультация	kansul'tatsiya
copy *n*	экземпляр, копия	egzempl'ar, kopiya
discussion	дискуссия	diskusiya
experiment *n*	эксперимент	ekspirim'ent
final paper	заключительный доклад	zakl'uchitil'niy daklat
fund *v*	финансировать	finansiravat'
information exchange	обмен информацией	abm'en infarmatsiyey
interpreter	переводчик (переводчица)	pirivotchik (pirivotchitsa)
interpreters' booth	кабина переводчиков	kabina pirivotchikaf
invitation	приглашение	priglasheniye
make a motion	внести предложение	vnisti pridlazheniye
make an amendment	внести поправку	vnisti paprafku
minutes	протокол	pratakol
official language	официальный язык	afitsial'niy yizik
organizing committee	организационный комитет	arganizatsionniy kamit'et
paper	доклад	daklat
present a ~	представить ~	pritstavit' ~
participant	участник	uchasnik
participate	участвовать	uchastvavat'
registration	регистрация	rigistratsiya

Round Table	круглый стол	krugliy stol
second the motion	поддерживать предложение	padd[i]erzhivat[i] pridlazheniye
secretariat	секретариат	sikritariat
secretary	секретарь	sikritar[i]
session	заседание	zasidaniye
plenary ~	пленарное ~	plinarnaye ~
simultaneous interpreting	синхронный перевод	sinkhronniy pirivot
statement	сообщение	saapshcheniye
symposium	симпозиум	simpozium
translation	перевод	pirivot
translator	переводчик (переводчица)	pirivotchik (pirivotchitsa)
vote *v*	голосовать	galasavat[i]
working group	рабочая группа	rabochaya grupa

ECONOMIC CO-OPERATION

ЭКОНОМИЧЕСКОЕ СОТРУДНИЧЕСТВО

What is our programme?

Какая программа нашего пребывания?

kakaya pragrama nachiva pribivaniya?

We agree to the proposed programme for the visit

Мы согласны с предложенной программой пребывания

mi saglasni s pridlozhinay pragramay pribivaniya

We would like to visit...

Мы хотели бы посетить...

mi khat'eli bi pasitit'...

  a research centre

  научно-исследователь-ский центр

  nauchna-issl'edavati-l'skiy tsentr

  a laboratory

  лабораторию

  labaratoriyu

  a company

  фирму

  firmu

  a car (lorry/truck) plant

  автомобильный завод

  aftamabil'niy zavot

We would like to discuss...

Предлагаем обсудить...

pridlagaim apsudit'...

  possible areas (forms) of co-operation

  возможные области (формы) сотрудничества

  varmozhnii oblasti (formi) satrudnichistva

  working plans

  рабочие планы

  rabochii plani

  the draft of the minutes

  проект протокола

  praekt pratakola

  the conditions of the contract

  условия контракта

  usloviya kantrakta

79

the catalogue and the deadlines for delivery	номенклатуру и сроки взаимных поставок	naminklaturu i sroki vzaimnikh pastavak
the schedule for exchange visits	сроки обмена специалистами	sroki abm'ena spitsialistami
Our position is set forth in...	Наша позиция изложена ...	nasha pazitsiya izlozhina...
the memorandum	в меморандуме	v mimarandumi
Legal Document No...	в документе № ...	v dakum'enti nomir...
a letter dated ...	в письме от ...	f pis'm'e at...
Who will be making the arrangements at your end?	Кто будет от вашей стороны координатором сотрудничества?	kto budit at vashiy starani kaardinataram satrudnichistva?
When shall we get a definite response?	Когда мы получим окончательный ответ?	kagda mi paluchim akanchatil'niy atv'et?
When will we receive..?	Когда вы сможете передать нам...?	kagda vi smozhiti piridat' nam...?
the documents	документацию	dakumintatsiyu
the samples	образцы	abrastsi
the test results	результаты испытаний	rizul'tati ispitaniy
What is the deadline for...?	Какой окончательный срок...?	kakoy akanchatil'niy srok...?
presenting the suggestions (documents)	представления предложений	pritstavl'eniya pridlazheniy
completion of the work [on the theme]	завершения работ [по теме]	zavirsheniya rabot [pa t'emi]
commissioning	ввода в эксплуатацию	vvoda v ekspluatatsiyu
When (Where) will the... be signed?	Когда (Где) состоится подписание...?	kagda (gd'e) sastaitsa patpisaniye...?

agreement on co-operation	соглашения о сотрудничестве	saglasheniya a satrudnichistvi
minutes of the meeting	протокола заседания	pratakola zasidaniya
plan for co-operation	плана сотрудничества	plana satrudnichistva
contract	контракта	kantrakta
We would like to thank you for...	Разрешите поблагодарить вас за...	razrishiti pablagadarit' vas za...
your hospitality	оказанное гостеприимство	akazannaye gastipriimstva
a very well organised session	превосходную организацию заседания	privaskhodnuyu arganizatsiyu zasidaniya
the warm reception	тёплый приём	t'opliy priyom

TECHNOLOGICAL EXHIBITIONS. FAIRS
ТЕХНИЧЕСКИЕ ВЫСТАВКИ. ЯРМАРКИ

We would like to see the exhibition (the Fair)	Мы хотели бы осмотреть выставку (ярмарку)	mi khat'eli bi asmatr'et' vistafku (yarmarku)
What time does the exhibition (the Fair) open and close?	В какие часы работает выставка (ярмарка)?	f kakii chisi rabotait vistafka (yarmarka)?
How do we (I) get to the exhibition (the Fair)?	Как проехать на выставку (ярмарку)?	kak prayekhat' na vistafku (yarmarku)?
I would like... please	Дайте, пожалуйста...	dayti, pazhalsta...
two (three) tickets for the exhibition	два (три) билета на выставку	dva (tri) bil'eta na vistafku
a map of the exhibition	план выставки	plan vistafki
We need a guide	Нам нужен гид	nam nuzhin git

PHRASES

81

How much do you charge for that?	Сколько это будет стоить?	skolʲka eta budit stoitʲ?
What is the total area of the exhibition?	Какую территорию занимает выставка?	kakuyu teritoriyu zanimait vistafka?
Who is organizing the exhibition?	Кто организатор выставки?	kto arganizatar vistafki?
How many countries are participating?	Сколько стран принимают участие?	skolʲka stran prinimayut uchastiye?
When will... national day be held?	Когда будет проводиться национальный день...?	kagda budit pravaditsa natsianalʲniy dʲenʲ...?
Cuba's	Кубы	kubɪ
the USA's	США	se-she-a
Great Britain's	Англии	anglii
the USSR's	Советского Союза	savʲetskava sayuza
What is the total number of participants?	Каково общее количество участников?	kakavo opshchiye kalichistva uchasnikaf?
Is this a permanent exhibition?	Это постоянная выставка?	eta pastayannaya vistafka?
How many pavilions are there?	Сколько всего павильонов?	skolʲka fsivo pavilʲyonaf?
Where is the main pavilion?	Где главный павильон?	gdʲe glavnɪy pavilʲyon?
Where is...?	Где находится...?	gdʲe nakhoditsa...?
the information office	бюро информации	bʲuro infarmatsii
the Secretariat	секретариат	sikritariat
the directorate	дирекция	dirʲektsiya
the press-centre	пресс-центр	prʲes-tsentr

ECONOMIC COOPERATION
ЭКОНОМИЧЕСКОЕ СОТРУДНИЧЕСТВО

I (We) would like to be shown...	Я хотел бы (Мы хотели бы) познакомиться...	ya khat'el bɨ (mɨ khat'eli bɨ) paznakomitsa...
equipment for...	с оборудованием для ...	s abarudavaniyem dl'a ...
instruments	с приборами	s priborami
installations for...	с установками для...	s ustanofkami dl'a...
Can we see... in operation?	Можно посмотреть в действии...?	mozhna pasmatr'et' v d'eystvii...?
the machine (installation)	эту машину (установку)	etu mashinu (ustanofku)
this apparatus (assembly)	этот аппарат (агрегат)	etat aparat (agrigat)
Who drew up the project?	Кто автор проекта?	kto aftar praekta?
What does this machine run on?	На каком топливе работает эта машина?	na kakom toplivi rabotait eta mashina?
How much does it weigh?	Какой её вес?	kakoy yiyo v'es?
What is its...?	Какая...?	kakaya...?
capacity	мощность	moshchnast'
efficiency	производительность	praizvaditil'nast'
How many people operate this machine?	Сколько человек обслуживает эту установку?	skol'ka chilav'ek apsluzhivait etu ustanofku?
I would like to know more about its basic technical features	Мне бы хотелось знать основные технические характеристики	mn'e bɨ khat'elas' znat' asnavnii tikhnichiskii kharaktiristiki
I would like to see the operating instructions	Я хочу ознакомиться с инструкцией по техническому обслуживанию	ya khachu aznakomitsa s instruktsiyey pa tikhnichiskamu apsluzhivaniyu

We want to know your latest plans for the future	Нас интересуют ваши последние разработки	nas intirisuyut vashi pasl'ednii razrabotki
Is this your own project?	Это ваша собственная разработка?	eta vasha sopstvinaya razrabotka?
Is that a company secret?	Это секрет фирмы?	eta sikr'et firmi?
Is that a trade name?	Это фирменное название?	eta firminaye nazvaniye?
What is the trade mark?	Какая торговая марка?	kakaya targovaya marka?
Who owns the patent?	Кому принадлежит патент?	kamu prinadlizhit pat'ent?
We would like to buy...	Мы хотели бы приобрести...	mi khat'eli bi priabristi...
this equipment	это оборудование	eta abarudavaniye
this installation	эту установку	etu ustanofku
the licence	лицензию	litsenziyu
May I have...?	Могу ли я получить...?	magu li ya paluchit'...?
a catalogue	каталог	katalok
a prospectus	проспект	prasp'ekt

buy	покупать	pakupat'
~ equipment	~ оборудование	~ abarudavaniye
~ licence	~ лицензию	~ litsenziyu
~ the right to...	~ право на...	~ prava na...
co-operation	сотрудничество	satrudnichistva
economic ~	экономическое ~	ekanamichiskaye ~
cultural ~	культурное ~	kul'turnaye ~
bilateral ~	двухстороннее ~	dvukhstaronniye ~
~ to mutual advantage	взаимовыгодное ~	vzaimavigadnaye ~

84

ECONOMIC COOPERATION
ЭКОНОМИЧЕСКОЕ СОТРУДНИЧЕСТВО

scientific and technological ~	научно-техничес- кое ~	nauchna-tikhnichis- kaye ~
counteragent	контрагент	kontrag'ent
Directory	дирекция	dir'ektsiya
display *n*	дисплей	displ'ey
exhibit *v*	выставлять	vistavl'at'
exhibit *n*	экспонат	ekspanat
exhibition	выставка	vistafka
exhibition hall	выставочный зал	vistavachniy zal
fair	ярмарка	yarmarka
licence	лицензия	litsenziya
partner	партнёр	partn'or
patent	патент	patent
pavilion	павильон	pavil'yon
sample	образец	abraz'ets
sign *v*	заключить, подпи- сать	zakl'uchit', patpisat'
~ an agreement	~ соглашение	~ saglasheniye
~ a contract	~ контракт	~ kantrakt
standard	стандарт	standart
transfer of know- how	передача техноло- гии	piridacha tikhnalo- gii

AT A PLANT, AT A FACTORY

НА ЗАВОДЕ, НА ФАБРИКЕ

♦ PHRASES

We would like to visit...	Мы хотели бы посетить ...	mɨ khat'eli bɨ pasitit'...
a car (lorry/truck) plant	автомобильный завод	aftamabil'nɨy zavot
a steel works/mill	металлургический завод	mitalurgichiskiy zavot
a watch factory	часовой завод	chisavoy zavot
a textile factory/mill	текстильную фабрику	tikstil'nuyu fabriku
a chocolate/candy factory	кондитерскую фабрику	kanditirskuyu fabriku
We would like to see ...	Мы хотели бы пройти ...	mɨ khat'eli bɨ prayti...
the foundry	в литейный цех	v lit'eynɨy tsekh
the machine shop	в механический цех	v mikhanichiskiy tsekh
the assembly shop	в сборочный цех	v zborachnɨy tsekh
the main conveyer	на главный конвейер	na glavnɨy kanv'eyer
What does this... produce?	Какую продукцию выпускает...?	kakuyu praduktsɨyu vɨpuskait...?
shop	этот цех	etat tsekh
section	этот участок	etat uchastak
plant	это предприятие	eta pritpriyatiye

86

We would like to talk to...	Мы хотели бы побеседовать...	mi khat'eli bi pabis'edavat'...
the general manager	с директором	z dir'ektaram
the technical (commercial) director	с техническим (коммерческим) директором	s tikhnichiskim (kam'erchiskim) dir'ektaram
the shop foreman	с начальником цеха	s nachal'nikam tsekha
a worker	с рабочим	s rabochim
Who is the general manager of your plant?	Кто генеральный директор вашего предприятия?	kto giniral'niy dir'ektar vashiva pritpriyatiya?
When was your plant built?	Когда был построен этот завод?	kagda bil pastroin etat zavot?
We would like to see some of your products (output)	Мы хотели бы посмотреть вашу продукцию	mi khat'eli bi pasmatr'et' vashu praduktsiyu
What is the service life (shelf-life) of your product?	Какой срок годности (хранения) продукции?	kakoy srok godnasti (khran'eniya) praduktsii?
What percentage are rejects?	Какой процент брака?	kakoy pratsent braka?
What new models (designs) are planned?	Какие новые модели (конструкции) проектируются?	kakii novii madeli (kanstruktsii) praektiruyutsa?
How many workers have you got at the plant (factory)?	Сколько рабочих у вас на заводе (на фабрике)?	skol'ka rabochikh u vas na zavodi (na fabriki)?
What is the ratio of workers to engineers and technicians at your plant?	Какое у вас соотношение рабочих и ИТР?	kakoye u vas saatnasheniye rabochikh i i-te-er?
How many people are engaged in...?	Сколько человек занято на...?	skol'ka chilav'ek zanita na...?
the production process	производство	praizvotstvi

major (auxiliary, quality control) operations	основных (вспомогательных, контрольных) операциях	asnavnikh (fspamagatil'nikh, kantrol'nikh) apiratsiyakh
What countries do you export to?	В какие страны вы экспортируете свою продукцию?	f kakii strani vi ekspartiruiti svayu praduktsiyu?
How are health and safety provisions seen to?	Как осуществляется охрана труда?	kak asushchistvl'aitsa akhrana truda?
What are working conditions [like] at your factory (plant)?	Какие условия труда на вашей фабрике (вашем заводе)?	kakii usloviya truda na vashiy fabriki (vashim zavodi)?
Is there... at the plant?	На заводе есть...?	na zavodi yest'...?
a canteen/cafeteria	столовая	stalovaya
medical facilities	медицинский кабинет	miditsinskiy kabin'et
How many hours... do you work?	Сколько часов... вы работаете?	skol'ka chisof... vi rabotaiti?
per day	в день	v d'en'
per week	в неделю	v nid'el'u
What is your pay system?	Какая система оплаты труда?	kakaya sist'ema aplati truda?
Do you pay by the hour or do you have piece-rates?	У вас почасовая или сдельная оплата?	u vas pachisavaya ili zd'el'naya aplata?
How much does... earn per month?	Сколько зарабатывает в месяц...?	skol'ka zarabativait v m'esits...?
an engineer	инженер	inzhin'er
a white-collar worker	служащий	sluzhashchiy
a skilled worker	квалифицированный рабочий	kvalifitsiravaniy rabochiy

an unskilled worker	разнорабочий	raznarabochiy
Do you work overtime?	У вас бывает сверхурочная работа?	u vas bivait sv'erkhuroch- naya rabota?
What do they pay for overtime work?	Как оплачивается сверхурочная работа?	kak aplachivaitsa sv'erkhurochnaya rabota?
Do you have a bonus system?	Существует ли у вас премиальная система?	sushchistvuit li u vas primial'- naya sist'ema?
Which shop do you work in?	В каком цехе вы работаете?	f kakom tsekhi vi rabotaiti?
How much do you earn...?	Сколько вы зарабатываете...?	skol'ka vi zara- bativaiti...?
per month	в месяц	v m'esits
per week	в неделю	v nid'el'u
How much do you have to do a day?	Какая у вас норма выработки?	kakaya u vas nor- ma virabatki?
Do you belong to a trade/labour union?	Вы член профсоюза?	vi chl'en praf- sayuza?
Does your trade-union deal with...?	Занимается ли ваш профсоюз вопросами...?	zanimaitsa li vash prafsayus vaprosa- mi...?
taking on and laying off/hiring and firing workers	найма и увольнения рабочих	nayma i uval'- n'eniya rabo- chikh
health and safety provisions	охраны труда	akhrani truda
social insurance	социального обеспечения	satsial'nava abispicheniya
workers' health protection measures	охраны здоровья рабочих	akhrani zdaro- v'ya rabo- chikh

WORDS

How long is your leave?	Какой у вас отпуск?	kakoy u vas otpusk?
How much sick pay is a worker entitled to?	Какое пособие получает рабочий по болезни?	kakoye pasobiye paluchait rabochiy pa bal'ezni?
What is the retiring age for a worker?	С каких лет рабочий может идти на пенсию?	s kakikh l'et rabochiy mozhit itti na p'ensiyu?
efficiency	производительность труда	praizvaditil'nast' truda
engineer	инженер	inzhin'er
factory	фабрика	fabrika
industrial enterprise	промышленное предприятие	pramishlinaye pritpriyatiye
leave, holiday/vacation	отпуск	otpusk
machine-tool	станок	stanok
management office	управление	upravl'eniye
mechanic	механик	mikhanik
method	метод	m'etat
norm	норма	norma
production ~	~ выработки	~ virabatki
pension	пенсия	p'ensiya
plant	завод	zavot
private garden (plot) (*a piece of land in the country granted to town-dwellers*)	садово-огородный участок	sadova-agarodniy uchastak
product	продукция	praduktsiya
profession	профессия	praf'esiya
scientific progress	научно-технический прогресс	nauchna-tikhnichiskiy pragres

AT A PLANT, AT A FACTORY
НА ЗАВОДЕ, НА ФАБРИКЕ

shop *n*	цех	tsekh
sick benefit	пособие по болезни	pasobiye pa bal'ezni
speciality/qualification	специальность	spitsial'nast'
team contract	бригадный подряд	brigadniy padr'at
team leader	бригадир	brigadir
technician	техник	t'ekhnik
technologist	технолог	tikhnolak
trade-union	профсоюз	prafsayus
worker	рабочий	rabochiy

AT A COLLECTIVE OR STATE FARM

В КОЛХОЗЕ, СОВХОЗЕ

What crops do you grow?	Какие культуры вы выращиваете?	kakii kul'turi vi virashchivaiti?
Is stock-breeding very widespread in your part of the country?	Развито у вас животноводство?	razvita u vas zhivatnavotstva?
What is the average yield of...?	Какие средние урожаи...?	kakii sr'ednii urazhai...?
wheat	пшеницы	pshinitsi
rye	ржи	rzhi
sugar beet	сахарной свёклы	sakharnay sv'okli
We would like to visit...	Мы хотели бы осмотреть...	mi khat'eli bi as-matr'et'...
a dairy farm	молочную ферму	malochnuyu f'ermu
a poultry farm	птицеферму	ptitsif'ermu
a pig farm	свиноферму	svinaf'ermu
How many people work on the farm?	Сколько человек обслуживает ферму?	skol'ka chilav'ek apsluzhivait f'ermu?
What is the level of mechanization on the farm?	В какой степени механизированы работы?	f kakoy st'epini mikhaniziravani raboti?
Which agricultural	Какие специалисты	kakii spitsialisti

92

professions do you employ?	сельского хозяйства у вас работают?	s'el'skava khaz'aystva u vas rabotayut?
Do you have a...?	У вас есть...?	u vas yest'...?
school	школа	shkola
library	библиотека	bibliat'eka
club	клуб	klup
creché	ясли	yasli
preschool centre (nursery school)	детский сад	d'etskiy sat
What recreational facilities do the farmers have?	Как организован досуг колхозников?	kak arganizovan dasuk kalkhoznikaf?

agriculture	сельское хозяйство	s'el'skaye khaz'aystva
agronomist	агроном	agranom
barley	ячмень	yichm'en'
bee-garden	пасека	pasika
club	клуб	klup
collective farm	колхоз	kalkhos
collective farm manager	председатель колхоза	pritsidatil' kalhoza
collective farm worker	колхозник (колхозница)	kalkhoznik (kalkhoznitsa)
combine harvester	комбайн	kambayn
combine operator	комбайнер	kambaynir
cotton	хлопок	khlopak
cotton-growing	хлопководство	khlapkavotstva
crops	урожай	urazhay
drainage	осушение	asusheniye
farm	ферма	f'erma
poultry ~	птицеферма	ptitsif'erma

93

AT A COLLECTIVE OR STATE FARM
В КОЛХОЗЕ, В СОВХОЗЕ

cattle ~	животноводческая ~	zhivatnavotchiskaya ~
feeding stuffs	корм	korm
fertilizer	удобрение	udabrʲeniye
field	поле	polʲe
flax	лён	lʲon
fodder	корм	korm
garden plot (*a piece of land around the house*)	приусадебный участок	priusadibniy uchastak
hectar	гектар	giktar
irrigation	орошение	arasheniye
land reclamation	мелиорация	miliaratsiya
live stock	скот	skot
machine-operator	механизатор	mikhanizatar
milk-maid/dairy worker (*a farm-worker responsible for automatic milking*)	доярка	dayarka
oats	овёс	avʲos
orchard	сад	sat
pig-breeding	свиноводство	svinavotstva
potatoes	картофель	kartofilʲ
rye	рожь	rosh
social and economic development	социально-экономическое развитие	satsialʲna-ekanamichiskaye razvitiye
soil	почва	pochva
state farm	совхоз	safkhos
stock-breeder	животновод	zhivatnavot
stock-breeding	животноводство	zhivatnavotstva

AT A COLLECTIVE OR STATE FARM
В КОЛХОЗЕ, В СОВХОЗЕ

tractor	трактор	traktar
tractor-operator/driver	тракторист	traktarist
vegetable garden	огород	agarot
vegetables	овощи	ovashchi
veterinary/veterinarian *n*	ветеринар	vitirinar
vineyard	виноградник	vinagradnik
viticulture	виноградарство	vinagradarstva
wages	заработная плата	zarabatnaya plata
wheat	пшеница	pshinitsa
zootechnician (*livestock expert*)	зоотехник	zaat'ekhnik

EDUCATION ОБРАЗОВАНИЕ

I am insterested in the educational system of your country

Меня интересует система образования в вашей стране

min'a intirisuit sist'ema abrazavaniya v vash'iy stran'e

How many years does it take to get a secondary (higher) education?

Сколько лет требуется для получения среднего (высшего) образования?

skol'ka l'et tr'ebuitsa dl'a palucheniya sr'edniva (vishshiva) abrazavaniya?

What age do children start school?

В каком возрасте дети начинают учиться в школе?

f kakom vozrasti d'eti nachinayut uchitsa f shkoli?

When do school (university) classes begin?

Когда начинаются занятия в школах (в институтах)?

kagda nachinayutsa zan'atiya f shkolakh (v institutakh)?

When do (does) school holidays/vacation (examinations) begin?

Когда начинаются каникулы (экзамены)?

kagda nachinayutsa kanikuli (egzamini)?

How long is the summer (winter) vacation?

Сколько длятся летние (зимние) каникулы?

skol'ka dl'atsa l'etnii (zimnii) kanikuli?

How do students spend their holidays?

Как студенты проводят каникулы?

kak stud'enti pravod'at kanikuli?

96

EDUCATION
ОБРАЗОВАНИЕ

What school do you go to?	Где вы учитесь?	gd^{i}e vɨ **u**chitis^i?
I go to...	Я учусь...	ya uch**u**s^i...
school	в школе	f shk**o**li
a technical college	в техникуме	f t^i**e**khnikumi
an institute	в институте	v instit**u**ti
a university	в университете	v univirsit^i**e**ti
What college do you go to?	В каком институте вы учитесь?	f kak**o**m instit**u**ti vɨ **u**chitis^i?
I study at the... institute	Я учусь в.. институте	ya uch**u**s^i v... instit**u**ti
medical	медицинском	medits**ɨ**nskam
teachers' training	педагогическом	pidagag**i**chiskam
construction	строительном	stra**i**til^{i}nam
polytechnical	политехническом	palitikhn**i**chiskam
agricultural	сельскохозяйственном	s^{i}el^{i}skakhaz^i**a**ystvinam
What kind(s) of specialists does the Institute train?	Каких специалистов готовит этот институт?	kak**i**kh spitsɨal**i**staf gat**o**vit **e**tat instit**u**t?
I go to a theatrical school	Я студент театрального училища	ya stud^i**e**nt tiatr**a**l^{i}nava uch**i**lishcha
Do you have only a day department?	У вас только дневное отделение?	u vas t**o**l^{i}ka dnivn**o**ye addil^i**e**niye?
Do you have evening classes?	У вас есть вечернее отделение?	u vas yest^i vich**e**rniye addil^i**e**niye?
Do you have correspondence courses?	У вас есть заочное отделение?	u vas yest^i za**o**chnaye addil^i**e**niye?
What are the entrance requirements?	Какие экзамены сдают при поступлении?	kak**i**i egz**a**minɨ zday**u**t pri pastupl^i**e**nii?

4—514

We would like to meet university students	Мы хотели бы встретиться со студентами университета	mᵻ khatⁱeli bᵻ fstrⁱetitsa sa studⁱentami univirsitⁱeta
At which department do you study?	На каком факультете вы учитесь?	na kakom fakulⁱtⁱeti vᵻ uchitisⁱ?
I study at the... department	Я учусь на... факультете	ya uchusⁱ na... fakulⁱtⁱeti
philological	филологическом	filalagichiskam
history	историческом	istarichiskam
law	юридическом	yuridichiskam
mathematics	математическом	matimatichiskam
geography	географическом	giagrafichiskam
What is your diploma on?	Какая тема вашей дипломной работы?	kakaya tⁱema vashᵻy diplomnay rabotᵻ?
Where will you work after you graduate from the Institute (University)?	Где вы будете работать после окончания института (университета)?	gdⁱe vᵻ buditi rabotatⁱ posli akanchaniya instituta (univirsitⁱeta)?
We want to visit a student hostel	Мы хотим побывать в студенческом общежитии	mᵻ khatim pabᵻvatⁱ f studⁱenchiskam apshchizhᵻtii
What student clubs do you have?	Какие у вас есть студенческие клубы?	kakii u vas yestⁱ studⁱenchiskii klubᵻ?
What college or university did you graduate from?	Какое учебное заведение вы окончили?	kakoye uchebnaye zavidⁱeniye vᵻ akonchili?
I graduated from a technical college (Institute, University)	Я окончил техникум (институт, университет)	ya akonchil tⁱekhnikum (institut, univirsitⁱet)
academician	академик	akadⁱemik

EDUCATION
ОБРАЗОВАНИЕ

Academy of Sciences	Академия наук	akad'emiya nauk
Associate Professor	доцент	datsent
class	класс	klass
Corresponding Member	член-корреспондент	chl'en-karispand'ent
course	курс	kurs
Dean	декан	dekan
department/chair	кафедра	kafidra
department chairman	заведующий кафедрой	zav'eduyushchiy kafidray
diploma	диплом	diplom
Doctor of Sciences	доктор наук	doktar nauk
education	образование	abrazavaniye
compulsory ~	обязательное ~	abizatil'naye ~
higher ~	высшее ~	vishshiye ~
secondary ~	среднее ~	sr'edniye ~
educational system	система образования	sist'ema abrazavaniya
entrance examinations	вступительные экзамены	fstupitil'nii egzamini
examination	экзамен	egzamin
faculty/department	факультет	fakul't'et
field work	практика	praktika
foreign language teacher	учитель иностранного языка	uchitil' inastrannava yizika
grant/scholarship	стипендия	stip'endiya
Head/Principal	директор школы	dir'ektar shkoli
higher educational institution	высшее учебное заведение	vishshiye uchebnaye zavid'eniye
holidays/vacation	каникулы	kanikuli

institute	институт	institut
language	язык	yizik
learn	изучать	izuchatⁱ
lecture	лекция	lⁱektsiya
lecturer	лектор	lⁱektar
lesson	урок	urok
method	метод	mⁱetat
Ph.D.	кандидат наук	kandidat nauk
profession	профессия	prafⁱesiya
professor	профессор	prafⁱesar
pupil	ученик (ученица)	uchinik (uchinitsa)
Rector	ректор	rⁱektar
research	научные исследования	nauchnii isslⁱedavaniya
research worker	научный работник	nauchniy rabotnik
research centre	научно-исследовательский институт	nauchna-isslⁱedavatilⁱskiy institut
school	школа	shkola
secondary ~	средняя ~	srⁱednⁱaya ~
vocational ~	профтехучилище	proftⁱekhuchilishche
school leaving certificate/high school diploma	свидетельство о среднем образовании	svidⁱetilⁱstva a srⁱednim abrazavanii
school teacher	учитель(-ница)	uchitilⁱ(-nitsa)
science	наука	nauka
scientist	учёный	uchoniy
secondary specialised course	среднее специальное образование	srⁱedniye spitsialⁱnaye abrazavaniye
student	студент(-ка)	studⁱent(-ka)

EDUCATION
ОБРАЗОВАНИЕ

student hostel/dorm[itory]	студенческое общежитие	stud'enchiskaye apshchizhitiye
speciality	специальность	spitsial'nast'
technical college	техникум	t'ekhnikum
thesis/dissertation	диссертация	disirtatsiya
term, semester	семестр	sim'estr
text-book	учебник	uchebnik
university	университет	univirsit'et

AROUND THE TOWN В ГОРОДЕ

I (We) would like to look around the town	Я хотел(-а) бы (Мы хотели бы) посмотреть город	ya khatˈel(-a) bɨ (mɨ khatˈeli bɨ) pasmatrˈetˈ gorat
This is my (our) first time in Moscow (Kiev, Leningrad, Tallinn)	Я (Мы) впервые в Москве (Киеве, Ленинграде, Таллинне)	ya (mɨ) fpirvii v maskvˈe (kiivi, lˈeningradi, tallini)
Where can I buy a guidebook?	Где можно купить путеводитель?	gdˈe mozhna kupitˈ putivaditilˈ?
Have you got a guidebook in English?	У вас есть путеводитель по городу на английском языке?	u vas yestˈ putivaditilˈ pa goradu na angliyskam yizikˈe?
How much is it?	Сколько он стоит?	skolˈka on stoit?
Where is the tourist information bureau?	Где находится экскурсионное бюро?	gdˈe nakhoditsa ekskursionnaye bˈuro?
Where would you recommend us to start our sightseeing?	С чего лучше начать осмотр города?	s chivo lutshɨ nachatˈ asmotr gorada?
What would you recommend to start with?	Что бы вы посоветовали посмотреть в первую очередь?	shto bɨ vɨ pasavˈetavali pasmatrˈetˈ f pˈervuyu ochiritˈ?
When was the town founded?	Когда был основан этот город?	kagda bɨl asnovan etat gorat?

I am (We are) mostly interested in...	Меня (Нас) больше всего интересуют...	minia (nas) bolishi fsivo intirisuyut...
ancient brick and stone	старинные постройки	starinnii pastroyki
museums	музеи	muziei
the tube/underground/subway stations	станции метро	stantsii mitro
How long will the excursion take?	Сколько времени продлится экскурсия?	skolika vriemini pradlitsa ekskursiya?
Where is...?	Где находится...?	gdie nakhoditsa...?
the Hermitage	Эрмитаж	ermitash
the Armory	Оружейная палата	aruzheynaya palata
the Tomb of the Unknown soldier	могила Неизвестного солдата	maglla niizviesnava saldata
Do we walk or ride there?	Мы туда пойдём пешком или поедем на автобусе?	mi tuda paydiom pishkom ili payedim na aftobusi?
We should like to visit...	Мы хотели бы посетить...	mi khatieli bi pasititi...
the Museum of History	Исторический музей	istarichiskiy muziey
the Andronikov Monastery	Андроников монастырь	andronikaf manastiri
We would like to see the city centre	Мы хотели бы осмотреть центр города	mi khatieli bi asmatrieti tsentr gorada
What (kind of) itinerary around the town would you recommend?	Какой маршрут осмотра города вы нам рекомендуете?	kakoy marshrut asmotra gorada vi nam rikaminduiti?
How do I get to...?	Как проехать...?	kak prayekhati...?

Revolution Square	к площади Революции	k ploshchidi rival'utsii
Gorky Street	к улице Горького	k ulitsɨ gor'ka-va
... tube/under-ground/subway station	к станции метро...	k stantsii mitro...
Am I going the right way to...?	Я правильно иду...?	ya pravil'na idu...?
the Maly Theatre	к Малому театру	k malamu tiatru
the Pushkin Monument	к памятнику Пушкину	k pamitniku pushkinu
the Old Arbat	к Старому Арбату	k staramu arbatu
Which way do I (we) go?	В каком направлении мне (нам) надо идти?	f kakom napravl'enii mn'e (nam) nada itti?
I don't know the way	Я не знаю дороги	ya ni znayu darogi
I have lost my way	Я заблудился (заблудилась)	ya zabludils'a (zabludilas')
I am looking for...	Я ищу...	ya ishchu...
number...	дом...	dom...
... Square	площадь...	ploshchit'...
... street	улицу...	ulitsu...
Could you please show us where it is on the [city] map?	Покажите мне, пожалуйста, это на плане города	pakazhiti mn'e, pazhalsta, eta na plani gorada
Will you write down the address for me?	Напишите мне, пожалуйста, адрес	napishiti mn'e, pazhalsta, adris
I have to get to this address	Мне нужно попасть по этому адресу	mn'e nuzhna papast' pa etamu adrisu

AROUND THE TOWN
В ГОРОДЕ

Is it far from here?	Это далеко отсюда?	eta daliko ats'uda?
How do I get there?	На чём я могу туда доехать?	na chom ya magu tuda dayekhat'?
What is the name of this...?	Как называется...?	kak nazivaitsa...?
street	эта улица	eta ulitsa
square	эта площадь	eta ploshchit'
main square	центральная площадь	tsintral'naya ploshchit'
What kind of building (sculpture) is this?	Что это за здание (скульптура)?	shto eta za zdaniye (skul'ptura)?
In which century was ...built?	В каком веке построен ...?	f kakom v'eki pastroin...?
the monastery	этот монастырь	etat manastir'
the palace	этот дворец	etat dvar'ets
the bridge	этот мост	etat most
When was the Arch of Triumph built?	Когда была построена Триумфальная арка?	kagda bila pastroina triumfal'naya arka?
What's the name of the architect?	Кто архитектор?	kto arkhit'ektar?

● WORDS

address	адрес	adris
architectural	архитектурный	arkhitikturniy
architecture	архитектура	arkhitiktura
avenue	проспект	prasp'ekt
boulevard	бульвар	bul'var
bridge	мост	most
building	здание	zdaniye
castle	замок	zamak
cathedral	кафедральный собор	kafidral'niy sabor

cemetery	кладбище	kladbishche
city centre	центр города	tsentr gorada
church	церковь	tserkafⁱ
consulate	консульство	konsulⁱstva
construction site	стройка	stroyka
convent	монастырь	manastirⁱ
crossing	переход	pirikhot
underground ~	подземный ~	padzⁱemniy ~
district	район	rayon
new ~	новый ~	noviy ~
old ~	старый ~	stariy ~
embankment	набережная	nabirizhnaya
embassy	посольство	pasolⁱstva
entrance	вход	fkhot
exhibition	выставка	vistafka
exit	выход	vikhat
fine *n*	штраф	shtraf
garden	сад	sat
guide	гид	git
guidebook	путеводитель	putivaditilⁱ
highway	шоссе	shase
house	дом	dom
itinerary	маршрут	marshrut
lose one's way	заблудиться	zabluditsa
market [place], farmers' market	рынок	rinak
map of the city	карта города	karta gorada
memorial plaque	мемориальная до-ска	mimarialⁱnaya daska
monastery	монастырь	manastirⁱ

AROUND THE TOWN
В ГОРОДЕ

monument	памятник	pamitnik
museum	музей	muz'ey
nunnery	женский мона-стырь	zhenskiy manastir'
palace	дворец	dvar'ets
park	парк	park
parking place	стоянка автома-шин	stayanka aftamashin
port	порт	port
reservation	заповедник	zapav'ednik
road	дорога	daroga
route (*itinerary*)	путь	put'
sculpture	скульптура	skul'ptura
square	площадь	ploshchit'
street	улица	ulitsa
street crossing/cor-ner	перекрёсток	pirikr'ostak
style	стиль	stil'
suburbs	пригороды	prigaradi
terminal	вокзал	vagzal
air ~	аэровокзал	aeravagzal
bus ~	автовокзал	aftavagzal
terminus	[железнодорожный] вокзал	[zhil'eznadarozh-niy] vagzal
theatre	театр	tiatr
ticket	билет	bil'et
toilet (WC)/rest room	туалет	tual'et
~ for men	мужской ~ (М)	mushskoy ~
~ for ladies	женский ~ (Ж)	zhenskiy ~
Trade Mission	торгпредство	torkpr'etstva

AROUND THE TOWN
В ГОРОДЕ

zoo	зоопарк	zaapark
around the corner	за углом	za uglom
far away	далеко	daliko
on the corner	на углу	na uglu
on the left	слева	sl'eva
on the right	справа	sprava
opposite/across the street	напротив	naprotif
quite close	близко	bliska
straight ahead	прямо	pr'ama
to the left	налево	nal'eva
to the right	направо	naprava

CITY TRANSPORT ГОРОДСКОЙ ТРАНСПОРТ

UNDERGROUND/ SUBWAY. BUS. TROLLEY-BUS. TRAM/STREET-CAR

МЕТРО. АВТОБУС. ТРОЛЛЕЙБУС. ТРАМВАЙ

In Moscow and in other Soviet cities the bus, trolley-bus, tram and metro fare is 5 kopecks, irrespective of the distance. Children under 7 travel free. For convenience metro ticket windows and bus, trolley-bus and tram drivers sell monthly, 10-day and 15-day tickets for all kinds of transport. You can also buy a book of coupons (ten tickets) good for ten trips.

When you enter a bus or a tram you must either show your monthly ticket, or have your coupon punched.

When you enter the Metro, you either show your monthly ticket or put a five copecks coin into the slot-machine. If you have no five kopecks coin on you, you can change your money at a money-changing machine inside each metro station. Metro is open from 5.30 to 1.00 in the morning. Transfers may be made from 6.00 to 1.00 in the morning.

Where is the nearest...?	Где ближайшая...?	gd'e blizhayshaya...?
underground/subway station	станция метро	stantsiya mitro
bus stop	остановка автобуса	astanofka aftobusa
trolley-bus stop	остановка троллейбуса	astanofka tral'eybusa

109

tram/street-car stop	остановка трамвая	astanofka tramvaya
What is the fare?	Сколько стоит проезд?	skol'ka stoit prayest?
Where do I (we) buy... tickets?	Где можно купить билеты на...?	gd'e mozhna kupit' bil'eti na...?
bus	автобус	aftobus
trolley-bus	троллейбус	tral'eybus
tram/street-car	трамвай	tramvay
Where can I change twenty kopecks?	Где можно разменять двадцать копеек?	gd'e mozhna razmin'at' dvatsat' kap'eik?
How many stops to the...?	Сколько остановок до...?	skol'ka astanovak da...?
... museum	музея...	muz'eya...
... shop	магазина...	magazina...
... theatre	театра...	tiatra...
What is the next stop?	Какая следующая остановка?	kakaya sl'eduyushchaya astanofka?
Where do we have to...?	Где нам нужно...?	gd'e nam nuzhna...?
change/transfer to another line	сделать пересадку	zd'elat' pirisatku
get off	выйти	viyti
You change at ... station	Вы должны сделать пересадку на станции...	vi dalzhni zd'elat' pirisatku na stantsii...
Does this tram (bus) go to...?	Идёт ли этот трамвай (автобус) до...?	id'ot li etat tramvay (aftobus) da...?
Which number goes to the city centre?	Какой номер идёт до центра города?	kakoy nomir id'ot da tsentra gorada?
Will you tell us when we are to get off?	Предупредите, пожалуйста, когда нам выходить	pridupriditi, pazhalsta, kagda nam vikhadit'

Are you getting off at the next stop?	Вы на следующей выходите?	vɨ na sl'eduyu- shchiy vikhoditi?
Where can we buy a map of the metro?	Где можно купить схему метро?	gd'e mozhna ku- pit' skh'emu mitro?
Where is the entrance to the metro?	Где вход в метро?	gd'e fkhot v mi- tro?
Where are the change machines?	Где разменные автоматы?	gd'e razm'en- nii aftamati?
Where do we change for... station?	Где переход на станцию...?	gd'e pirikhot na stantsɨyu...?
Does this train go to... station?	Этот поезд идёт до станции...?	etat poist id'ot da stantsii...?

| Вам нужно сделать пересадку на кольцевую линию | You are to change for the circle line |
| Вам выходить на следующей [остановке] | You get off at the next stop |

TAXI. SHUTTLE SERVICE
ТАКСИ. МАРШРУТНОЕ ТАКСИ

The taxis are a very convenient means of transportation. Taxi fare is 20 kopecks per kilometer and 20 kopecks for switching on the meter. You can find taxi ranks all over the city. An unoccupied taxi has a green light on the windscreen. You can stop such a taxi by raising your hand.

There is also shuttle service — minibuses for 11 passengers, which follow definite routes around the city, with fixed stops along the route, but also stop on request. The shuttle service fare is 15 kopecks, irrespective of the distance.

Where is the taxi rank/stand?	Где стоянка такси?	gd'e stayanka taksi?
Is this taxi taken?	Вы свободны?	vɨ svabodnɨ?
No	Да	da
Would you take me to... please	Отвезите меня, пожалуйста...	atviziti min'a, pazhalsta...

111

this address	по этому адресу	pa etamu adrisu
hotel	в гостиницу...	v gastinitsu...
...railway station	на... вокзал	na... vagzal
the... airport	в аэропорт	v aeraport...
to the British Embassy	в английское посольство	v angliyskaye pasol'stva
to the US Embassy (Consulate, Trade Mission)	в американское посольство (консульство, торгпредство)	v amirikanskaye pasol'stva (konsul'stva, tarkpr'etstva)
I am in a hurry	Я тороплюсь	ya tarapl'us'
Will you wait for me a few minutes, please	Подождите меня несколько минут, пожалуйста	padazhditi min'a n'eskal'ka minut, pazhalsta
Would you stop here, please	Остановитесь, пожалуйста, здесь	astanavitis', pazhalsta, zd'es'
How much is it?	Сколько с меня?	skol'ka s min'a?
That'll be...	С вас...	s vas...
address	адрес	adris
airport	аэропорт	aeraport
bus	автобус	aftobus
conductor	кондуктор	kanduktar
change/transfer n	пересадка	pirisatka
driver	шофёр, водитель	shaf'or, vaditil'
escalator	эскалатор	eskalatar
far away	далеко	daliko
fare	стоимость проезда	stoimast' prayezda
metro station	станция метро	stantsiya mitro
no entry	проезд запрещён	prayest zaprishchon
not far	близко	bliska
route/itinerary	маршрут	marshrut
shuttle service	маршрутное такси	marshrutnaye taksi

WORDS

CITY TRANSPORT
ГОРОДСКОЙ ТРАНСПОРТ

stop	остановка	astanofka
bus ~	~ автобуса	~ aftobusa
tram ~	~ трамвая	~ tramvaya
trolley-bus ~	~ троллейбуса	~ tral'eybusa
~ on request	~ по требова-нию	~ pa tr'ebava-niyu
straight ahead	прямо	pr'ama
street	улица	ulitsa
street crossing	перекрёсток	pirikr'ostak
taxi	такси	taksi
order a ~	заказать ~	zakazat' ~
hail a ~	остановить ~	astanavit' ~
taxi rank/stand	стоянка такси	stayanka taksi
terminus	конечная остановка (*of bus, tram*), конечная станция (*of train*)	kan'echnaya astanofka, kan'echnaya stantsiya
ticket	билет	bil'et
monthly ~	проездной ~	praiznoy ~
ticket collector	контролёр	kantral'or
to the left	налево	nal'eva
to the right	направо	naprava
tram/street-car	трамвай	tramvay
trolley-bus	троллейбус	tral'eybus
underground/subway	метро	mitro

LOST PROPERTY OFFICE

БЮРО НАХОДОК

Where is the Lost Property Office?	Где находится бюро находок?	gd'e nakhoditsa b'uro nakhodak?
How can I get in touch with the Lost Property Office?	Как можно позвонить в бюро находок?	kak mozhna pazvanit' v b'uro, nakhodak?
I have lost...	Я потерял(-а)...	ya patir'al(-a)...
an umbrella	зонтик	zontik
a bag	сумку	sumku
documents and money	документы и деньги	dakum'enti i d'en'gi
a camera	фотоаппарат	fotaaparat
a raincoat	плащ	plashch
I have left my bag...	Я забыл(-а) сумку...	ya zabil(-a) sumku...
at the station	на вокзале	na vagzali
in a taxi	в такси	f taksi
in the metro	в метро	v mitro
in a bus	в автобусе	v aftobusi
If it is found, would you please let me know at number...	Если вещь найдётся, позвоните мне, пожалуйста, по телефону...	yesli v'eshch nayd'otsa, pazvaniti mn'e, pazhalsta, pa tilifonu...

114

LOST PROPERTY OFFICE
БЮРО НАХОДОК

bag, handbag	сумка	sumka
briefcase	портфель	partfᵉlⁱ
camera	фотоаппарат	fotaaparat
coat	пальто	palⁱto
documents	документы	dakumⁱentⁱ
glasses	очки	achki
gloves	перчатки	pirchatki
money	деньги	dⁱenⁱgi
raincoat	плащ	plashch
topcoat	пальто	palⁱto
suitcase	чемодан	chimadan
umbrella	зонтик	zontik
valise	чемодан, саквояж	chimadan, sakvayash
wallet	бумажник	bumazhnik

THEATRE. CONCERTS. CIRCUS. CINEMA/MOVIE-THEATRE

ТЕАТР. КОНЦЕРТ. ЦИРК. КИНО

■ INFORMATION

In every major city in the Soviet Union there are theatres putting on operas, ballets, operettas, dramas, puppet plays and special shows for children. On ordinary weekdays the theatres have only evening performances, but on holidays and Sundays they have both matinées and evening performances. Matinées start at midday and evening performances start at 7 o'clock (in some towns it is 7. 30). Concerts usually start at 7. 30. Tickets can be bought at a hotel service bureau.

Cinemas show feature films, animated cartoons, documentary films. Old films can be seen at the retro cinemas. There are also films for children and young people. One film lasts an hour and a half, a two-part serial — 3 hours. Several short films may be shown before the main film. One may not enter the cinema hall after the main film begins. Tickets may be booked by phone in advance, bought at the cinema hours or days before or right before the show. The first show usually starts at 10.00 in the morning.

◆ PHRASES

I would like to go ... tonight (tomorrow)	Я хотел(-а) бы пойти сегодня вечером (завтра)...	ya khat'**e**l(-a) bɨ payt**i** siv**o**dn'a v'**e**chiram (z**a**ftra)...
to the theatre	в театр	f ti**a**tr
to a concert	на концерт	na kants**e**rt
to the circus	в цирк	f tsɨrk
to the cinema/movies	в кино	f kin**o**
Were can I find out what is on at the theatres?	Где можно посмотреть театральный репертуар?	gd'e m**o**zhna pasmatr'**e**t' tiatr**a**l'nɨy ripirtu**a**r?

THEATRE. CONCERTS. CIRCUS. CINEMA/MOVIE-THEATRE
ТЕАТР. КОНЦЕРТ. ЦИРК. КИНО

What is on today (tomorrow)?	Что идёт сегодня (завтра)?	shto id'ot sivodn'a (zaftra)?
I would like to go...	Я хотел(-а) бы...	ya khat'el(-a) bï...
to the opera	послушать оперу	paslushat' opiru
to the ballet	посмотреть балет	pasmatr'et' bal'et
to a symphony concert	сходить на симфонический концерт	skhadit' na simf'anichiskiy kantsert
When does the concert (show) begin?	Во сколько начинается концерт (спектакль)?	va skol'ka nachinaitsa kantsert (spiktakl')?
Where do the December Evenings concerts take place?	Где проходят концерты «Декабрьские вечера»?	gd'e prakhod'at k'antserti di kabr'skii vichira?
I would like to hear/see...	Мне хотелось бы попасть...	mn'e khat'elas' bï papast'...
a... piano recital	на концерт фортепианной музыки в исполнении...	na kantsert fartepyannay muziki v ispaln'enii...
the opening of the Russian Winter Festival	на открытие фестиваля «Русская зима»	na atkritiye fisti-val'a ruskaya zima
Have you got any tickets for today (tomorrow) at...?	У вас есть билеты на сегодня (на завтра)...?	u vas yest' bil'eti na sivodn'a (na zaftra)...?
the circus	в цирк	f tsirk
the Puppet Theatre	в кукольный театр	f kukal'niy tiatr
the Bolshoi Theatre	в Большой театр	v bal'shoy tiatr
the Palace of Congresses	во Дворец съездов	va dvar'ets syezdaf

Would you please give me two tickets for the... theatre	Дайте мне, пожалуйста, два билета в... театр	dayti mn'e, pazhalsta, dva bil'eta v... tiatr
If possible...	Если можно...	yesli mozhna...
in a box	ложу	lozhu
in the stalls/ orchestra	партер	parter
in the balcony	балкон	balkon
How much is one ticket?	Сколько стоит один билет?	skol'ka stoit adin bil'et?
Would you show us to our seats, please	Покажите, пожалуйста, где наши места	pakazhiti, pazhalsta, gd'e nashi mista
I need opera-glasses	Мне нужен бинокль	mn'e nuzhin binokl'
Have you got a programme/program?	У вас есть программа?	u vas yest' pragrama?
How much is the programme/program?	Сколько стоит программа?	skol'ka stoit pragrama?
Who is starring?	Кто в главной роли?	kto v glavnay roli?
Who is performing the part of...?	Кто исполняет партию...?	kto ispaln'ait partiyu...?
Who is the conductor (the accompanist)?	Кто дирижирует (аккомпанирует)?	kto dirizhiruit (akampaniruit)?
Who is the composer?	Кто композитор?	kto kampazitar?
How long is the intermission?	Сколько времени продлится антракт?	skol'ka vr'emini pradlitsa antrakt?
Where is...?	Где...?	gd'e...?
the refresh- ment-room	буфет	buf'et

the smoking room	курительная комната	kuritil'naya komnata
the ladies' room	женский туалет	zhenskiy tual'et
the men's room	мужской туалет	mushskoy tual'et
Did you enjoy...?	Вам понравился...?	vam panravils'a...?
the performance	спектакль	spiktakl'
the concert	концерт	kantsert
the ballet	балет	bal'et
I enjoyed it very much	Я получил(-а) большое удовольствие	ya paluchil(-a) bal'shoye udavol'stviye
The production is...	Спектакль...	spiktakl'...
interesting	интересный	intir'esniy
good	хороший	kharoshiy
dull	скучный	skushniy
acrobat	акробат	akrabat
act	акт, действие	akt, d'eystviye
actor	актёр	akt'or
actress	актриса	aktrisa
animal trainer	дрессировщик	drisirofshchik
applause	аплодисменты	apladism'enti
art	искусство	iskustva
artist	артист	artist
auditorium	зал	zal
author	автор	aftar
balcony	балкон	balkon
ballerina	балерина	balirina
ballet	балет	bal'et
baritone	баритон	bariton

● WORDS

119

bass	бас	bas
bell	звонок	zvanok
book tickets	заказать билеты	zakazat[i] bil[i]eti
box	ложа	lozha
buy tickets	купить билеты	kupit[i] bil[i]eti
cast	состав испол-нителей	sastaf ispalnitiliy
cast of characters	действующие лица	d[i]eystvuyushchii litsa
cello	виолончель	vialanchel[i]
choir/chorus	хор	khor
choreographer	балетмейстер	balitm[i]eystir
circus	цирк	tsirk
cloakroom/check--room	гардероб	gardirop
clown	клоун	kloun
comedy	комедия	kam[i]ediya
company	труппа, ансамбль	trupa, ansambl[i]
composer	композитор	kampazitar
conductor	дирижёр	dirizhor
conjurer	иллюзионист	il[i]uzianist
conservatoire/con-servatory	консерватория	kansirvatoriya
curtain	занавес	zanavis
dancer	танцовщик (тан-цовщица)	tantsofshchik (tan-tsofshchitsa)
drama	драма	drama
dramatist/play-wright	драматург	dramaturk
dress-circle	бельэтаж	bil[i]etash
duet	дуэт	duet

THEATRE. CONCERTS. CIRCUS. CINEMA/MOVIE-THEATRE
ТЕАТР. КОНЦЕРТ. ЦИРК. КИНО

film/movies	фильм, кинофильм	fil'm, kina-fil'm
cartoon film	мультфильм	mul'tfil'm
documentary film	документальный фильм	dakumintal'niy fil'm
feature film	художественный фильм	khudozhistviniy fil'm
suspense film	детектив	detektif
popular science film	научно-популярный фильм	nauchna-papul'arniy fil'm
first night	премьера	prim'yera
flute	флейта	fl'eyta
foyer	фойе	faye
house	публика	publika
go to the theatre (to a concert, to the cinema/movies)	пойти в театр (на концерт, в кино)	payti f tiatr (na kantsert, f kino)
interval/intermission	антракт, перерыв	antrakt, piririf
juggler	жонглёр	zhangl'or
music	музыка	muzika
chamber ~	камерная ~	kamirnaya ~
symphony ~	симфоническая ~	simfanichiskaya ~
musician	музыкант	muzikant
musical	мюзикл	m'uzikl
musical comedy	оперетта	apir'etta
new production	премьера	primyera
opera	опера	opira
opera-glasses	бинокль	binokl'
orchestra	оркестр	ark'estr
organ	орган	argan
newsreel (*latest news in brief*)	киножурнал	kinazhurnal

overture	увертюра	uvirtⁱura
painter	художник	khudozhnik
part (role)	роль	rolⁱ
performance	спектакль	spiktaklⁱ
performance (*of an actor, singer, musician*)	исполнение	ispalnⁱeniye
pianist	пианист	pianist
piano	фортепьяно	fartepyana
pit/parquet circle, orchestra circle	амфитеатр	amfitiatr
play	пьеса	pyesa
playwright	драматург	dramaturk
producer	продюсер	pradⁱuser
production (*play, opera, ballet*)	постановка	pastanofka
programme/program	программа	pragrama
refreshments bar	буфет	bufⁱet
repertoire	репертуар	ripirtuar
row	ряд	rⁱat
screen	экран	ekran
seat	место	mⁱesta
see a film (performance)	посмотреть фильм (спектакль)	pasmatrⁱetⁱ filⁱm (spiktaklⁱ)
sets	декорации	dikaratsii
singer	певец (певица)	pivⁱets (pivitsa)
smoking-room	курительная комната	kuritilⁱnaya komnata
solo	соло	sola
soloist	солист	salist
sonata	соната	sanata

THEATRE. CONCERTS. CIRCUS. CINEMA/MOVIE-THEATRE
ТЕАТР. КОНЦЕРТ. ЦИРК. КИНО

song	песня	pᶦesnᶦa
Song and Dance Company	ансамбль песни и пляски	ansamblᶦ pᶦesni i plᶦaski
soprano	сопрано	saprana
stage *n*	сцена	stsena
stage a production	поставить пьесу	pastavitᶦ pyesu
stalls/orchestra	партер	parter
symphony	симфония	simfoniya
tenor	тенор	tᶦenar
theatre	театр	tiatr
thriller	остросюжетный фильм	ostrasᶦuzhetniy filᶦm
ticket	билет	bilᶦet
tragedy	трагедия	tragᶦediya
trapeze	трапеция	trapᶦetsiya
variety art/vaudeville	эстрада	estrada
variety show	эстрадное представление	estradnaye pristavlᶦeniye
violin	скрипка	skripka
violinist	скрипач	skripach
virtuoso	виртуоз	virtuos
work	произведение	praizvidᶦeniye

MUSEUMS. ART GALLE-RIES. EXHIBITIONS

МУЗЕИ. ГАЛЕРЕИ. ВЫСТАВКИ

Most museums have permanent exhibitions which are period-ically updated. There are one-man shows and exhibitions on a theme, and also exhibitions displaying works from the world's best museums. Museums and exhibitions are usually open from 11 a. m. to 7 p. m., though visitors are admitted until 6 p. m. Museums are usually closed on Mondays or Tuesdays.

I (We) would like to go to...	Я хотел(-а) бы (Мы хотели бы) пойти...	ya khat'el(-a) bi (mi khat'eli bi) payti...
the Lenin Museum	в Музей В. И. Ленина	v muz'ey l'enina
the Tretiakov Gallery	В Третьяковскую галерею	f trit'yikof-skuyu galir'eyu
the Museum of the Revolution	в Музей Революции	v muz'ey riva-l'utsii
the Museum of Fine Arts	в Музей изобразительных искусств	v muz'ey izab-razitil'nikh is-kustf
the Andrei Roubliov Museum	в Музей Андрея Рублёва	v muz'ey and-r'eya rubl'ova
the Armoury	в Оружейную палату	v aruzheynuyu palatu
the USSR Exhibition of Economic Achievements	на Выставку достижений народного хозяйства СССР	na vistafku dasti-zheniy narodnava khaz'aystva es-es-es-er
Where is...?	Где находится...?	gd'e nakhoditsa...?

124

the Zoological Museum	Зоологический музей	zaalagichiskiy muz'ey
the Central Exhibition Hall	Центральный выставочный зал	tsintral'niy vistavachniy zal
the museum of Pushkin (Tolstoy, Chekhov)	музей А. С. Пушкина (Л. Н. Толстого, А. П. Чехова)	muz'ey pushkina (talstova, chekhava)
When does the museum open (close)?	Когда открывается (закрывается) музей?	kagda atkrivaitsa (zakrivaitsa) muz'ey?
What exhibition is on at the Museum of Fine Arts?	Какая сейчас выставка в Музее изобразительных искусств?	kakaya sichas vistafka v muz'ei izabraziti'nikh iskustf?
Where can I buy tickets for this exhibition?	Где можно купить билеты на эту выставку?	gd'e mozhna kupit' bil'eti na etu vistafku?
How much is the entrance ticket?	Сколько стоит входной билет?	skol'ka stoit fkhadnoy bil'et?
We (don't) need a tour guide	Нам (не) нужен экскурсовод	nam (ni) nuzhin ekskursavot
Where can we buy...?	Где можно купить...?	gd'e mozhna kupit'...?
a guide to the museum	путеводитель по музею	putivaditil' pa muz'eyu
a catalogue	каталог	katalok
some reproductions	репродукции	ripraduktsii
Where do we start?	Где начало осмотра?	gd'e nachala asmotra?
I am (We are) interested in...	Меня (Нас) интересует...	min'a (nas) intirisuit...
Ancient Russian Art	древнерусское искусство	dr'evniruskaye iskustva
modern art	современное искусство	savrim'ennaye iskustva

125

nineteenth century painting	живопись девятнадцатого века	zhivapis[i] divitnatsatava v[i]eka
ceramics	керамика	kiramika
Are there any... in the museum?	В музее есть картины ...?	v muz[i]ei yest[i] kartini...?
Rembrandt's	Рембрандта	r[i]embranta
Titian's	Тициана	titsiana
Velazquez's	Веласкеса	vilaskisa
Renaissance masters'	мастеров Ренессанса	mastirof rinisansa
Russian painters'	русских художников	ruskikh khudozhnikaf
I like...	Мне нравится...	mn[i]e nravitsa...
this picture	эта картина	eta kartina
this landscape	этот пейзаж	etat piyzash
this sculpture	эта скульптура	eta skul[i]ptura
Whose work is it?	Чья это работа?	chya eta rabota?
To what school does the painter belong?	К какой школе принадлежит этот художник?	k kakoy shkoli prinadlizhit etat khudozhnik?
Is this an original or a copy?	Это оригинал или копия?	eta ariginal ili kopiya?
When was this palace built?	Когда был построен этот дворец?	kagda bil pastroin etat dvar[i]ets?
Who was the architect?	Кто архитектор?	kto arkhit[i]ektar?
What is in this hall?	Что находится в этом зале?	shto nakhoditsa v etam zali?
We would like to look around the park	Мы хотели бы осмотреть парк	mi khat[i]eli bi asmatr[i]et[i] park
Is it allowed to take pictures here?	Здесь можно фотографировать?	zd[i]es[i] mozhna fatagrafiravat[i]?

MUSEUMS. ART GALLERIES. EXHIBITIONS
МУЗЕИ. ГАЛЕРЕИ. ВЫСТАВКИ

ВХОД	ENTRANCE
ВЫХОД	EXIT
НАЧАЛО ОСМОТРА	START
ПРОДОЛЖЕНИЕ ОС-МОТРА	TO THE EXIT

art	искусство	iskustva
ancient ~	античное ~	antichnaye ~
applied ~	прикладное ~	prikladnoye ~
modern ~	современное ~	savrim'ennaye ~
architect	архитектор	arkhit'ektar
architecture	архитектура	arkhitiktura
bell	колокол	kolakal
chirch bell tower	колокольня	kalakol'n'a
caricature	карикатура	karikatura
catalogue	каталог	katalok
collection	коллекция	kal'ektsiya
colour	цвет	tsv'et
colouring	колорит	kalarit
composition	композиция	kapazitsiya
country museum	музей-усадьба	muz'ey-usad'ba
country-seat/estate	усадьба	usad'ba
dome	купол	kupal
drawing	рисунок	risunak
excursion	экскурсия	ekskursiya
exhibit *v*	выставлять	vistavl'at'
exhibit *n*	экспонат	ekspanat
exhibition	выставка	vistafka
exhibition hall	выставочный зал	vistavachniy zal

127

MUSEUMS. ART GALLERIES. EXHIBITIONS
МУЗЕИ. ГАЛЕРЕИ. ВЫСТАВКИ

enamels	эмаль	emal[i]
fresco	фреска	fr[i]eska
graphics	графика	grafika
gouache	гуашь	guash
guidebook	путеводитель	putivaditil[i]
icon	икона	ikona
image	образ	obras
kremlin	кремль	kr[i]eml[i]
landscape	пейзаж	piyzash
master	мастер	mastir
masterpiece	шедевр	shidevr
mosaic	мозаика	mazaika
mural	роспись стен	rospis[i] st[i]en
museum	музей	muz[i]ey
paints	краски	kraski
painter	художник	khudozhnik
painting	живопись	zhivapis[i]
icon-painting	иконопись	ikanapis[i]
panel	панно	panno
picture	картина	kartina
picture gallery	картинная галерея	kartinnaya gali-r[i]eya
poster	плакат	plakat
portrait	портрет	partr[i]et
self-portrait	автопортрет	aftapartr[i]et
reproduction	репродукция	ripraduktsiya
school	школа	shkola
belong to ~	принадлежать к школе	prinadlizhat[i] k shkoli
sculpture	скульптура	skul[i]ptura

MUSEUMS. ART GALLERIES. EXHIBITIONS
МУЗЕИ. ГАЛЕРЕИ. ВЫСТАВКИ

sculptor	скульптор	skul[i]ptar
sketch	этюд, эскиз	et[i]ut, eskis
still life	натюрморт	nat[i]urmort
style	стиль	stil[i]
tapestry	гобелен	gabil[i]en
tour-guide	гид, экскурсовод	git, ekskursavot
water-colour	акварель	akvar[i]el[i]

SHOPPING   ПОКУПКИ

Where can I buy...?	Где можно купить...?	gd'e mozhna kupit'...?
Would you tell me where the nearest department store is?	Скажите, пожалуйста, где ближайший универмаг?	skazhiti, pazhalsta, gd'e blizhayshiy univirmak?
Is it far from here?	Это далеко отсюда?	eta daliko ats'uda?
Where is...?	Где находится...?	gd'e nakhoditsa...?
"GUM" *	ГУМ	gum
"Dyetski Mir" **	«Детский мир»	d'etskiy mir
"Dom Igroush-ki" ***	«Дом игрушки»	dom igrushki
Can I walk there?	Можно ли туда дойти пешком?	mozhna li tuda dayti pishkom?
Which way do I go?	Как туда пройти?	kak tuda prayti?
How do I get there?	Как туда проехать?	kak tuda prayekhat'?
When does the shop open (close)?	Когда открывается (закрывается) магазин?	kagda atkrivaitsa (zakrivaitsa) magazin?

---

* The biggest Department Store in Moscow
** Children's Department Store
*** A big toy shop

130

When do they have the lunch interval there?	Когда обеденный перерыв?	kagda ab'ediniy piririf?
Is the shop open on Sunday?	В воскресенье магазин работает?	v vaskris'en'ye magazin rabotait?
I would like to buy...	Я хотел(-а) бы купить...	ya khat'el(-a) bi kupit'...
Have you...?	У вас есть...?	u vas yest'...?
Could I have a look at that, please?	Можно посмотреть эту вещь?	mozhna pasmatr'et' etu v'eshch?
How much is it?	Сколько это стоит?	skol'ka eta stoit?
This is too expensive	Это очень дорого	eta ochin' doraga
Is there anything less expensive?	Нет ли подешевле?	n'et li padishevll?
Can I exchange this, please?	Можно обменять эту вещь?	mozhna abmin'at' etu v'eshch?
I'll take (I won't take) this	Я беру (не беру) это	ya biru (ni biru) eta
Can I have a receipt, please	Выпишите, пожалуйста, чек	vipishiti, pazhalsta, chek
Do I pay here or at the cash desk?	Платить вам или в кассу?	platit' vam ili f kassu?
Where is the cash desk?	Где касса?	gd'e kassa?
Would you wrap it up for me, please	Запакуйте это, пожалуйста	zapakuyti eta, pazhalsta
Would you wrap everything together, please	Заверните всё вместе, пожалуйста	zavirniti fs'o vm'esti, pazhalsta
Where is the exit?	Где выход?	gd'e vikhat?
Where is the escalator?	Где эскалатор?	gd'e eskalatar?

PHRASES ◆

DEPARTMENT STORE

УНИВЕРМАГ

Would you tell me which floor is the... department?

Скажите, пожалуйста, на каком этаже отдел...

skazhiti, pazhalsta, na kakom etazhe add'el...

fabrics

тканей

tkaniy

toys

игрушек

igrushik

perfumery

парфюмерии

parf'um'erii

I would like to have a look at...

Я хотел(-а) бы посмотреть...

ya khat'el(-a) bi pasmatr'et'...

that table-cloth

эту скатерть

etu skatirt'

those spoons

эти ложки

eti loshki

that pendant

этот кулон

etat kulon

Could you please show me something less expensive (better)?

Покажите мне, пожалуйста, что-нибудь подешевле (подороже)

pakazhiti mn'e, pazhalsta, shto ni-but' padishevli (padarozhi)

Can I have a look at... please?

Можно посмотреть...?

mozhna pasmat-r'et'...?

a scarf

шарф

sharf

a cap

шапку

shapku

a fur collar

меховой воротник

mikhavoy va-ratnik

Can you show me something different?

У вас нет других моделей?

u vas n'et dru-gikh madeliy?

May I try it on?

Можно примерить?

moshna prim'e-rit'?

I'll take this

Я возьму это

ya vaz'mu eta

No, it isn't quite what I am looking for

Мне это не подходит

mn'e eta ni pat-khodit

Fabrics

Ткани

Show me that material, please

Покажите мне, пожалуйста, этот материал

pakazhiti mn'e, pazhalsta, etat mati-rial

What is the width?	Какая ширина?	kakaya shirina?
Does it shrink?	Этот материал садится?	etat matiryal saditsa?
Is this material natural (synthetic)?	Это натуральная (искусственная) ткань?	eta natural'naya (iskustvinaya) tkan¹?
What does it cost per meter?	Сколько стоит метр?	skol¹ka stoit m¹etr?
Can I have two meters (five meters)?	Дайте, пожалуйста, два метра (пять метров)	dayti, pazhalsta, dva m¹etra (p¹at¹ m¹ctraf)
I want something...	Мне бы хотелось...	mn'e bi khat'elas¹...
in a different colour	другого цвета	drugova tsv¹eta
in a darker shade	потемнее	patimn'eye
in a lighter shade	посветлее	pasvitl'eye

Haberdashery. Perfumery
Галантерея. Парфюмерия

How much is this perfume?	Сколько стоят эти духи?	skol¹ka stoyat eti dukhi?
I would like... please	Дайте мне, пожалуйста...	dayti mn'e, pazhalsta...
a hair-grip/bobby pin	заколку для волос	zakolku dl¹a valos
a shaving-brush	помазок	pamazok
a hair-brush	щётку для волос	shchotku dl¹a valos
a pack of razor blades	пачку лезвий	pachku l¹ezviy
toilet soap	туалетное мыло	tual'etnaye mila
a tooth-brush	зубную щётку	zubnuyu shchotku
tooth-paste	зубную пасту	zubnuyu pastu

Record Shop. Audio, Photographic and Filming Equipment. Television Sets

Граммпластинки. Радиокинофототовары. Телевизоры.

Where is the... department?

Где отдел...?

gdⁱe addⁱel...?

record — грампластинок — gramplastinak

television — телевизоров — tilivizaraf

audio/sound — радиотоваров — radiotavaraf

photography — фототоваров — fotatavaraf

What symphony (opera, piano) recordings do you have?

Какие записи симфонической (оперной, фортепьянной) музыки у вас есть?

kakii zapisi simfanichiskay (opirnay, fartepyannay) muziki u vas yestⁱ?

What works by... do you have?

Какие произведения... у вас есть?

kakii praizvidⁱeniya... u vas yestⁱ?

Prokofiev — Прокофьева — prakofⁱyiva

Chopin — Шопена — shapena

Tchaikovsky — Чайковского — chiykofskava

Which... records do you have?

Что у вас есть в исполнении...?

shto u vas yestⁱ v ispalnⁱenii...?

Richter — Рихтера — rikhtera

Gielels — Гилельса — gililⁱsa

Oistrakh — Ойстраха — oystrakha

Do you have...?

У вас есть записи оперы...?

u vas yestⁱ zapisi opiri...?

"Boris Godounov"

«Борис Годунов»

baris gadunof

"Khovanshchina"

«Хованщина»

khavanshchina

Which department sells...?

В каком отделе можно купить...?

f kakom addⁱeli mozhna kupitⁱ...?

songs by Soviet composers

песни советских композиторов

pⁱesni savⁱetskikh kampazitaraf

134

Russian folk songs	русские народные песни	ruskii narodnii pⁱesni
Could I listen to this record?	Можно прослушать эту пластинку?	mozhna praslushatⁱ etu plastinku?
I want a cassette	Мне нужна кассета	mnⁱe nuzhna kasⁱeta
I want...	Мне нужен...	mnⁱe nuzhin...
a tape- (a cassette) recorder	магнитофон	magnitafon
a radio	радиоприёмник	radiopriyomnik
a colour television	цветной телевизор	tsvitnoy tilivizar
Could I see it in action?	Можно посмотреть, как он работает?	mozhna pasmatrⁱetⁱ, kak on rabotait?
How much is it?	Сколько он стоит?	skolⁱka on stoit?

BOOKS. NEWSPAPERS. MAGAZINES
КНИГИ. ГАЗЕТЫ. ЖУРНАЛЫ

Where is...?	Где находится...?	gdⁱe nakhoditsa...?
"the Dom Knigi" *	«Дом книги»	dom knigi
newspaper kiosk/ newsstand	газетный киоск	gazⁱetniy kiosk
"Progress"** book-shop	книжный магазин «Прогресс»	knizhniy magazin pragres
Where can I buy...?	Где можно купить...?	gdⁱe mozhna kupitⁱ...?

---

* The biggest book-shop in Moscow
** The biggest book-shop in Moscow selling dictionaries and books in foreign languages

a guide book to Moscow (Leningrad)	путеводитель по Москве (Ленинграду)	putivaditil' pa mask'e (l'eningradu)
books on fine arts	книги по искусству	knigi pa iskustvu
I want some postcards with views	Мне нужны открытки с видами	mn'e nuzhni atkritki s vidami
I'd like...	Дайте, пожалуйста...	dayti, pazhalsta...
today's newspapers	сегодняшние газеты	sivodnishnii gaz'eti
the latest issue of... magazine	последний номер журнала...	pasl'edniy nomir zhurnala...
a fashion magazine	журнал мод	zhurnal mot
Do you have...?	У вас есть...?	u vas yest'...?
a "teach yourself Russian" book	самоучитель русского языка	samauchitil' ruskava yizika
an English-Russian phrasebook	англо-русский разговорник	angla-ruskiy razgavornik
a Russian-English (an English-Russian) dictionary	русско-английский (англо-русский) словарь	ruska-angliyskiy (angla-ruskiy) slavar'
Do you have any "teach yourself..." cassettes (records)?	У вас есть кассеты (пластинки) для изучения ... языка?	u vas yest' kas'eti (plastinki) dl'a izucheniya ... yizika?
Russian	русского	ruskava
Spanish	испанского	ispanskava
French	французского	frantsuskava
German	немецкого	nim'etskava
I want a linguaphone course in Russian	Мне нужен лингафонный курс русского языка	mn'e nuzhin lingafonniy kurs ruskava yizika
Do you have Rus-	У вас есть русская	u vas yest' ru-

136

sian (Soviet) literature in English? / (советская) литература на английском языке? / skaya (sav'etskaya) litiratura na angliyskam yizik'e?

Do you have any poems by Russian (Soviet) poets? / У вас есть стихи русских (советских) поэтов? / u vas yest' stikhi ruskikh (sav'etskikh) paetaf?

Do you have...? / У вас есть...? / u vas yest'...?

  Russian folk tales /   русские народные сказки /   ruskii narodnii skaski

  children's books a nice-illustrated edition /   книги для детей книги с хорошими иллюстрациями /   knigi dl'a dit'ey knigi s kharoshimi il'ustratsiyami

Who is the author of this book? / Кто автор этой книги? / kto aftar etay knigi?

How often does this magazine come out? / Как часто выходит этот журнал? / kak chastu vikhodit etat zhurnal?

Is it a weekly (monthly)? / Еженедельно (Ежемесячно)? / yizhinid'el'na (yizhim'esichna)?

Would you show me a stamp album, please / Покажите, пожалуйста, альбом для марок / pakazhiti, pazhalsta, al'bom dl'a marak

Can I see this set of stamps, please / Разрешите посмотреть этот набор марок / razrishiti pasmatr'et' etat nabor marak

How much is it? / Сколько это стоит? / skol'ka eta stoit?

SOUVENIRS   СУВЕНИРЫ

    Souvenir departments display a large variety of popular Russian folk crafts.

    Khokhloma painting on wood originated in the 17th century in the village of Khokhloma, near Gorky. There are wooden plates and bowls, spoons and even furniture. The colours are mainly red, black and golden.

INFORMATION

Palekh miniature. The art of Palekh originated in 1923 in the small village of Palekh in Central Russia (near Ivanovo, a famous Russian textile centre). Palekh miniatures decorate lacquered papier-mâché boxes and other small objects. One of the sources of the poetic beauty of the craft was the old art of icon painting. The themes and motifs of the art of Palekh range widely from favourite scenes of peasants life to themes of historical and social significance; they include literary and folk characters as well as some contemporary scenes.

Gzhel ceramics are made at ceramics works in the vicinity of Gzhel, a small town outside Moscow. The craft has been known in Gzhel for a long time. But Gzhel ware as we know it took shape in the 18th century, when simple clay dishes gave way to multicoloured majolica. The typical colour combination for the Gzhel dishes, jugs and toys is white and cobalt blue.

Rostov enamels (fineeft). The craft originated in the 18th century, in Rostov, a town near Yaroslavl. Brooches, pendants, earrings and souvenirs made there are decorated with flowers and whole scenes painted on metal plates covered with enamel.

I would like to buy a souvenir. Can you help me?	Я хочу купить какой-нибудь сувенир. Что вы мне посоветуете?	ya khachu kupit[i] kakoy-nibut[i] suvinir. shto vi mn[i]e pasav[i]e-tuiti?
Can I have a look at...?	Покажите, пожалуйста...	pakazhiti, pazhalsta...
a matryoshka	матрёшку	matr[i]oshku
a box	шкатулку	shkatulku
a tray	поднос	padnos
an amber necklace	ожерелье из янтаря	azhir[i]el[i]ye iz yintar[i]a
What can you suggest as a present for a lady (a man)?	Что вы можете мне предложить для подарка женщине (мужчине)?	shto vi mozhiti mn[i]e pridlazhit[i] dl[i]a padarka zhenshchini (mushchini)?
Do you sell Palekh boxes (Rostov enamels)?	Есть ли у вас палехские шкатулки (ростовская эмаль)?	yest[i] li u vas palikhskii shkatulki (rastofskaya emal[i])?

138

I would like to buy a brooch and ear-rings made by Rostov jewellers	Мне бы хотелось брошку и серьги работы ростовских мастеров	mnʲe bi khatʲe-lasʲ broshku i sʲerʲgi raboti rastofskikh mastirof
I'll take it	Я беру это	ya biru eta
Give me something else	Дайте что-нибудь другое	dayti shto-nibutʲ drugoye
alarm-clock	будильник	budilʲnik
amplifier	усилитель	usilitilʲ
ankle high shoes	ботинки	batinki
astrakhan/Persian lamb	каракуль	karakulʲ
bag	сумка	sumka
sports ~	спортивная ~	spartivnaya ~
travelling ~	дорожная ~	darozhnaya ~
battery	батарейка	batarʲeyka
blade	лезвия	lʲezviya
blouse	блузка	bluska
book	книга	kniga
box	шкатулка	shkatulka
bracelet	браслет	braslʲet
brooch	брошка	broshka
brush	щётка	shchotka
hair-brush	~ для волос	~ dlʲa valos
tooth-brush	зубная ~	zubnaya ~
camera	фотоаппарат	fotaaparat
cardigan	кофточка	koftachka
cassette	кассета	kasʲeta
clock	настенные часы	nastʲennii chisi
chain	цепочка	tsipochka
cigarettes	сигареты	sigarʲeti

● WORDS

139

cine-camera/ movie-camera	кинокамера	kinakamira
clothing	одежда	adⁱezhda
coffee-mill	кофемолка	kafimolka
coffee-percolator	кофеварка	kafivarka
coat	пальто	palⁱto
collected works	собрание сочине-ний	sabraniye sachi-nⁱeniy
cologne	одеколон	adikalon
cosmetics	косметика	kasmⁱetika
cotton	хлопок	khlopak
printed cot-ton/chintz	ситец	sitits
cream	крем	krⁱem
face ~	~ для лица	~ dlⁱa litsa
hand ~	~ для рук	~ dlⁱa ruk
shaving ~	~ для бритья	~ dlⁱa britⁱya
cuff-links	запонки	zapanki
dress	платье	platⁱye
earphones	наушники	naushniki
electronic calculator (*computer*)	микрокалькулятор	mikrakalⁱ-kulⁱatar
solar bat-tery operated ~	~ на солнечной батарейке	~ na solnichnay batarⁱeyki
earrings	серьги	sⁱerⁱgi
enamel	эмаль	emalⁱ
fabrics	ткань	tkanⁱ
cotton ~	хлопчатобумаж-ная ~	khlapchata-bumazhnaya ~
woolen ~	шерстяная ~	shirstinaya ~
face powder	пудра	pudra
film	плёнка	plⁱonka

camera ~ (photo ~)	фотоплёнка	fotapl'onka
cine-mov-ie camera ~	киноплёнка	kinapl'onka
colour ~	цветная плёнка	tsvitnaya pl'onka
fork	вилка	vilka
foundation	крем-пудра	kr'em-pudra
fur	мех	m'ekh
fur hat	меховая шапка	mikhavaya shapka
fur-lined boots	меховые сапоги	mikhavii sapagi
glasses	очки	achki
gloves	перчатки	pirchatki
hair drier/blow drier	фен	f'en
hair spray	лак для волос	lak dl'a valos
handbag	сумка	sumka
handkerchief	носовой платок	nasavoy platok
hat	шляпа	shl'apa
iron	утюг	ut'uk
jacket	куртка	kurtka
juicer	соковыжималка	sokavizhimalka
kerchief	платок, косынка	platok, kasinka
kitchen appliance set	кухонный комбайн	kukhanniy kambayn
knee-high boots	сапоги	sapagi
knee-high socks	гольфы	gol'fi
knife	нож	nosh
light overcoat/fall, spring coat	демисезонное пальто	dimisizonnaye pal'to
light-meter	экспонометр	ekspanomitr

lighter	зажигалка	zazhigalka
lipstick	помада	pamada
mink	норка	norka
nail varnish/polish	лак для ногтей	lak dl'a nakt'ey
necktie	галстук	galstuk
nightgown	ночная рубашка	nachnaya rubashka
nutria	нутрия	nutriya
panty hose, tights	колготки	kalgotki
pendant	кулон	kulon
perfume	духи	dukhi
personal computer	персональный компьютер	pirsanal'niy kampyuter
polar fox	песец	pis'ets
pullover	свитер	sviter
raincoat/wrap-around	плащ	plashch
record	пластинка	plastinka
refrigerator	холодильник	khaladil'nik
ring	кольцо	kal'tso
samovar	самовар	samavar
electric ~	электрический ~	eliktrichiskiy ~
sandals	босоножки	basanoshki
sateen	сатин	satin
satin	атлас	atlas
scarf	шарф	sharf
service	сервиз	sirvis
tea ~	чайный ~	chayniy ~
coffee ~	кофейный ~	kaf'eyniy ~
shampoo	шампунь	shampun'
shirt	рубашка	rubashka

142

SHOPPING
ПОКУПКИ

shoes	обувь (*any kind of shoes including boots*); туфли	obuf'; tufli
silk	шёлк	sholk
videocassette	видеокассета	vidiokas'eta
videorecorder	видеомагнитофон	vidiomagnitafon
skirt	юбка	yupka
soap	мыло	mila
socks	носки	naski
spoon	ложка	loshka
squirrel	белка	b'elka
stockings	чулки	chulki
suit	костюм	kast'um
swimming costume/swimsuit, bathing suit	купальный костюм	kupal'niy kast'um
swimming trunks	плавки	plafki
tape-recorder	магнитофон	magnitafon
thread	нитки	nitki
television set	телевизор	tilivizar
tooth-paste	зубная паста	zubnaya pasta
transistor radio	транзисторный приёмник	tranzistarniy priyomnik
trousers	брюки	br'uki
typewriter	пишущая машинка	pishushchaya mashinka
vacuum cleaner	пылесос	pilisos
velvet	бархат	barkhat
velveteen/corduroy	вельвет	vil'v'et
video-taperecorder	видеомагнитофон	vidiomagnitafon
umbrella	зонтик	zontik

underwear	нижнее бельё	nizhniye bil'yo
washing machine	стиральная маши-на	stiral'naya ma-shɨna
watch	[наручные] часы	naruchnɨi chisɨ
watch-band	ремешок для часов	rimishok dl'a chisof
wool	шерсть	sherst'

SUPERMARKET. GROCERY STORE

УНИВЕРСАМ. ПРОДОВОЛЬСТ-ВЕННЫЙ МАГАЗИН

Where is the nearest grocery store?	Где ближайший продовольствен-ный магазин?	gd'e blizhayshɨy pradavol'stviniy magazin?
Do you sell...?	У вас есть...?	u vas yest'...?
oranges	апельсины	apil'sinɨ
bananas	бананы	bananɨ
figs	инжир	inzhir
raisins	изюм	iz'um
Will you give me a kilo of... please	Взвесьте, пожалуй-ста, килограмм...	vzvies'ti, pazhal-sta, kilagram...
lemons	лимонов	limonaf
apples	яблок	yablak
grapes	винограда	vinagrada
Can I have a pack-et of coffee (tea), please	Дайте, пожалуй-ста, пачку кофе (чая)	dayti, pazhalsta, pachku kof'e (chaya)
Could I have...?	Дайте мне, пожа-луйста...	dayti mn'e, pa-zhalsta...
half a pound (200 grams) of cheese	двести грамм сыра	dv'esti gram sɨra
a box of choco-lates	коробку конфет	karopku kanf'et

144

a chocolate bar	плитку шокола-да	plitku shikalada
a packet of bis-cuits/cookies	пачку печенья	pachku pichen'ya
a pound (half a kilo) of sweets/candies	полкило конфет	polkilo kanf'et

| Would you give me a carton of milk, two cartons of yo-gurt and a packet of soft cheese | Будьте добры, па-кет молока, два пакета кефира и пачку диетиче-ского творога | butti dabri, pa-k'et malaka, dva pa-k'eta kifira i pachku diitichiska-va tvaraga |

| What kinds of juices do you have? | Какие соки у вас есть? | kakii soki u vas yest'? |

apples	яблоки	yublaki
apricots	абрикосы	abrikosi
bacon	корейка	kar'eyka
bananas	бананы	banani
beans	бобы	babi
white (French) beans	фасоль	fasol'

basket	корзина	karzina
beef	говядина	gav'adina
beer	пиво	piva
biscuits/cookies	печенье	pichen'ye
bread	хлеб	khl'ep
white ~	белый ~	b'eliy ~
brown (whole rye) ~	чёрный ~	chorniy ~
fresh ~	свежий ~	sv'ezhiy ~
stale ~	чёрствый ~	chorstviy ~
fancy ~	сдоба	zdoba

● WORDS

145

brynza (*cheese made of sheep's milk*)	брынза	brinza
bun	булочка	bulachka
butter	масло	masla
cabbage	капуста	kapusta
cake	торт, пирог, кекс	tort, pirok, kieks
carp	карп	karp
carrots	морковь	markofi
caviare	икра	ikra
red ~	красная ~	krasnaya ~
black ~	чёрная ~	chornaya ~
cauliflower	цветная капуста	tsvitnaya kapusta
cheese	сыр	sir
Dutch ~	голландский ~	galanskiy ~
Swiss ~	швейцарский ~	shviytsarskiy ~
processed ~	плавленый ~	plavliniy ~
cottage ~	творог	tvarok
soft ~	диетический творог	diitichiskiy tvarok
chicken	цыплёнок, курица	tsiplionak, kuritsa
chocolate	шоколад	shikalat
chocolate bar	плитка шоколада; шоколадный батончик (*with jam or nuts inside*)	plitka shikalada; shikaladniy batonchik
chocolates	шоколадные конфеты	shikaladnii kanfieti
cereals	крупа	krupa
cinnamon	корица	karitsa
cocoa	какао	kakao
coffee	кофе	kofie

ground ~	молотый ~	molatiy ~
instant ~	растворимый ~	rastvarimiy ~
~ beans	~ в зёрнах	~ v z'ornakh
cream	сливки	slifki
cream-cake	пирожнос	pirozhnaye
croissant/roll	булочка, рогалик	bulachka, ragalik
cucumbers	огурцы	agurtsi
pickled ~	солёные ~	sal'onii ~
cupcakc	кекс	k'eks
dairy products	молочные продук-ты	malochnii pradukti
dates	финики	finiki
duck	утка	utka
eggs	яйца	yaytsa
figs	инжир	inzhir
fish	рыба	riba
flour	мука	muka
French loaf	батон	baton
fruit preserves	варенье	var'eni'ye
garlic	чеснок	chisnok
goose	гусь	gus'
grapes	виноград	vinagrat
grapefruit	грейпфрут	gr'eypfrut
halvah	халва	khalva
ham	ветчина	vitchina
herring	селёдка	sil'otka
honey	мёд	m'ot
jam	джем	dzhem
jelly	желе	zhil'e

juice	сок	sok
ice-cream	мороженое	marozhɨnaye
kidneys	почки	pochki
luncheon sausage	варёная колбаса	varᶦonaya kalba-sa
lemons	лимоны	limonɨ
liver	печёнка	pichonka
macaroni	макароны	makaronɨ
marmalade	апельсиновый джем	apilᶦsinaviy dzhem
meat	мясо	mᶦasa
melon	дыня	dinᶦa
milk	молоко	malako
condensed (sweetened) ~	сгущённое ~	zgushchonaye ~
evaporated ~	концентрирован-ное ~	kantsɨntriravanaye ~
powdered ~	сухое ~	sukhoye ~
mustard	горчица	garchitsa
mutton	баранина	baranina
nuts	орехи	arᶦekhi
oatmeals	овсяные хлопья, геркулес	afsᶦanii khlopᶦya, girkulᶦes
oranges	апельсины	apilᶦsinɨ
oil	растительное ма-сло	rastitilᶦnaye ma-sla
olive ~	оливковое масло	alifkavaye masla
packing	упаковка	upakofka
pastry	пирожное	pirozhnaye
peaches	персики	pᶦersiki
peas	горох	garokh
pears	груши	grushɨ

pepper	перец	p'erits
red ~ (paprika)	красный ~	krasniy ~
black ~	чёрный ~	chorniy ~
pie	пирог, пирожок	pirok, pirazhok
plums	сливы	slivi
pork	свинина	svinina
cold roast ~	буженина	buzhinina
potatoes	картошка	kartoshka
raisins	изюм	iz'um
rice	рис	ris
roll	булочка, рогалик	bulachka, ragalik
rusks/melba toasts	сухари	sukhari
salt	соль	sol'
salami-type sausage	копчёная колбаса	kapchonaya kalbasa
sausages/frankfurters	сосиски	sasiski
shortcake	песочное пирожное	pisochnaye pirozhnaye
soured cream/sour cream	сметана	smitana
spaghetti	вермишель	virmishel'
spongecake	бисквитное пирожное	biskvitnaye pirozhnaye
sugar	сахар	sakhar
granulated ~	сахарный песок	sakharniy pisok
lump ~	сахар-рафинад	sakhar-rafinat
sweets/candies	конфеты	kanf'eti
tart/pie	слоёный пирог	slayoniy pirok
tea	чай	chay
tinned/canned fish	рыбные консервы	ribnii kans'ervi
tinned/canned food	консервы	kans'ervi

SHOPPING
ПОКУПКИ

tinned/canned meat	мясные консервы	misnii kans'ervi
tomatoes	помидоры	pamidori
tongue	язык	yizik
turkey	индейка	ind'eyka
veal	телятина	til'atina
vinegar	уксус	uksus
vodka	водка	votka
watermelon	арбуз	arbus
wine	вино	vino

AMUSE-MENTS. LEISURE

РАЗВЛЕЧЕ-НИЯ. ОТДЫХ

What do you do in your leisure time?	Как вы проводите свой досуг?	kak vɨ pravoditi svoy dasuk?
What are your interests?	Чем вы увлекае-тесь?	chem vɨ uvlikai-tisⁱ?
I like photography	Я увлекаюсь фото-графией	ya uvlikayusⁱ fa-tagrafiyey
I enjoy hiking	Я увлекаюсь ту-ризмом	ya uvlikayusⁱ tu-rizmam
I like to...	Я люблю...	ya lⁱublⁱu...
travel	путешествовать	putishestvavatⁱ
be out of doors	гулять	gulⁱatⁱ
go to the theatre	ходить в театр	khaditⁱ f tiatr
I collect...	Я коллекциони-рую...	ya kaliktsⁱaniruyu...
stamps	марки	marki
coins	монеты	manⁱetɨ
badges	значки	znachki
post-cards	открытки	atkrɨtki
Do you like music?	Вы любите музы-ку?	vɨ lⁱubiti muzɨku?
What kind of music do you prefer?	Какую музыку вы любите?	kakuyu muzɨku vɨ lⁱubiti?
I like... music	Я люблю... музы-ку	ya lⁱublⁱu... muzɨku

151

classical	классическую	klasichiskuyu
jazz	джазовую	dzhazavuyu
pop	эстрадную	estradnuyu
Do you play an instrument?	Вы играете на каком-нибудь инструменте?	vɨ igraiti na kakomnibutⁱ instrumⁱenti?
I play...	Я играю на...	ya igrayu na...
the violin	скрипке	skripki
the guitar	гитаре	gitari
the piano	фортепьяно	fartepyana
What English (American) songs do you know?	Какие английские (американские) песни вы знаете?	kakii angliyskii (amirikanskii) pⁱesni vɨ znaiti?
I like to watch TV	Я люблю смотреть телевизор	ya lⁱublⁱu smatrⁱetⁱ tilivizar
Would you please switch on the television?	Включите, пожалуйста, телевизор	fklⁱuchiti, pazhalsta, tilivizar
I would like to see...	Я хотел(-а) бы посмотреть...	ya khatⁱel(-a) bɨ pasmatrⁱetⁱ...
the "What? Where? When?" quiz show	передачу «Что? Где? Когда?»	piridachu shto? gdⁱe? kagda?
the "Vremya" news programme	программу «Время»	pragramu vrⁱemⁱa
"The Travellers' Club"	программу «Клуб путешественников»	pragramu klup putishestvinikaf
Has the hotel a sauna?	В гостинице есть сауна?	v gastinitsɨ yestⁱ sauna?
Is it far to the beach?	Далеко ли отсюда пляж?	daliko li atsⁱuda plⁱash?
Is it possible to rent...?	Можно ли взять напрокат...?	mozhna li vzⁱatⁱ naprakat...?
a pedal boat	водный велосипед	vodniy vilasipⁱet

152

a deck chair	шезлонг	shizlonk
water skis	водные лыжи	vodnii lizhi
How can I get to...?	Как добраться...?	kak dabratsa...?
the Zoo	до зоопарка	da zaaparka
the Botanical Gardens	к ботаническому саду	g batanichiskamu sadu
Where is...?	Где находится...?	gd'e nakhoditsa...?
the lake	озеро	ozira
a viewing point	смотровая площадка	smatravaya plashchatka
the hot house	оранжерея	aranzhir'eya
What do you call...?	Как называется...?	kak nazivaitsa...?
this tree	это дерево	eta d'eriva
this flower	этот цветок	etat tsvitok
this plant	это растение	eta rast'eniye
When were the Botanical Gardens founded?	Когда был заложен этот ботанический сад?	kagda bil zalozhin etat batanichiskiy sat?
What is the area of the botanical gardens?	Какую площадь занимает ботанический сад?	kakuyu ploshchit' zanimait batanichiskiy sat?
I would like to go to the mountains (along the beach)	Я хотел(-а) бы совершить прогулку в горы (по побережью)	ya khat'el(-a) bi savirshit' pragulku v gori (pa pabir'ezhyu)
Where do you spend your vacation?	Где вы проводите свой отпуск?	gd'e vi pravoditi svoy otpusk?
I usually spend my vacation...	Я провожу свой отпуск...	ya pravazhu svoy otpusk...
in the mountains	в горах	v garakh
in the country	за городом	za garadam
at a (health) resort	на курорте	na kurorti

● WORDS

at a spa	в санатории	f sanatorii
at the sea-shore	на море	na mori
attractions	аттракцион	atraktsion
beach	пляж	pl'ash
billiards	бильярд	bil'yart
boat	лодка	lotka
pedal-boat	водный велоси-пед	vodniy vila-sip'et
cards	карты	karti
dancing	танцы	tantsi
deck chair	шезлонг	shizlonk
discotheque	дискотека	diskat'eka
excursion	экскурсия	ekskursiya
funicular railway	фуникулёр	funikul'or
garden	сад	sat
botanical gardens	ботанический ~	batanichiskiy ~
hiking	туризм	turizm
hunting	охота	akhota
park	парк	park
reading hall	читальный зал	chital'niy zal
sauna	сауна	sauna
serfing	сёрфинг	s'orfink
shooting-range	тир	tir
skis	лыжи	lizhi
water ~	водные ~	vodnii ~
solarium	солярий	sal'ariy
spa	курорт	kurort
speed-boat	глиссер	glisir
stroll n	прогулка	pragulka
sunbathe v	загорать	zagarat'

AMUSEMENTS. LEISURE
РАЗВЛЕЧЕНИЯ. ОТДЫХ

swimming-pool	бассейн	bas'eyn
trip	путешествие	putishestviye
videotheque	видеотека	vidiat'eka
zoo	зоопарк	zaap**a**rk

SPORTS   СПОРТ

There is a wide and interesting range of sports facilities on offer to you when you are in the Soviet Union. A large number of sports clubs, sports complexes and stadiums give visitors the chance to try out different sports and even take part in competitions. You can order tickets for anything to do with sports in the Service Bureau, and tickets for any sporting event can also be bought at the Stadium ticket office.

I like sports	Я увлекаюсь спортом	ya uvlikayusⁱ sportam
What is your favourite sport(s)?	Какой ваш любимый вид спорта?	kakoy vash lⁱubimiy vit sporta?
What sports are most popular in your country?	Какие виды спорта популярны в вашей стране?	kakii vidi sporta papulⁱarni v vashiy stranⁱe?
Do you go in for sports?	Вы занимаетесь спортом?	vi zanimaitisⁱ sportam?
I am a gymnast	Я занимаюсь гимнастикой	ya zanimayusⁱ gimnastikay
Are you a member of a sports club?	Вы член спортивного клуба?	vi chlⁱen spartivnava kluba?
Where do you train?	Где вы тренируетесь?	gdⁱe vi triniruitisⁱ?
Who coaches your team?	Кто тренер вашей команды?	kto trⁱenir vashiy kamandi?
Do you take part in sports tournaments?	Вы принимаете участие в соревнованиях?	vi prinimaiti uchastiye f sarivnavaniyakh?

I would like to go skiing (skating)	Я хотел(-а) бы покататься на лыжах (на коньках)	ya khat'el(-a) bi pakatatsa na lizhakh (na kan'kakh)
Is it possible to rent skis (skates) here?	Можно ли здесь взять напрокат лыжи (коньки)?	mozhna li zd'es' vz'at' naprakat lizhi (kan'ki)?
How do I get to the stadium (court)?	Как мне добраться до стадиона (корта)?	kak mn'e dabratsa da stadiona (korta)?
Where is...?	Где...?	gd'e...?
a tennis court	теннисный корт	tenisniy kort
a swimming-pool	бассейн	bas'eyn
a sports ground	спортивная площадка	spartivnaya plashchatka
What kinds of sports events are taking place in your town now?	Какие соревнования приходят сейчас в вашем городе?	kakii sarivnqvaniya prakhod'at sichas v vashim goradi?
Is there a football match today?	Есть ли сегодня футбольный матч?	yest' li sivodn'a fudbol'niy match?
When does the basketball (volleyball) tournament take place?	Когда состоятся соревнования по баскетболу (волейболу)?	kagda sastayatsa sarivnavaniya pa baskidbolu (valiybolu)?
We would like to see the free programme in figure skating	Мы хотели бы пойти на показательные выступления фигуристов	mi khat'eli bi payti na pakazatil'ni vistupl'eniya figuristaf
I'd like two tickets	Мне нужно два билета	mn'e nuzhna dva bil'eta
We would like to visit...	Мы хотели бы посетить...	mi khat'eli bi pasitit'...
the Olympic Village	Олимпийскую деревню	alimpiyskuyu dir'evn'u
the Sports Complex	Дворец спорта	dvar'ets sporta

Krilatskoye indoor Stadium	велотрек в Крылатском	vⁱelatrek f krilatskam
How do we get to the stadium?	Как проехать на стадион?	kak prayekhatⁱ na stadion?
Who is Number Five?	Кто играет под номером пять?	kto igrait pad nomiram pⁱatⁱ?
Who scored the goal?	Кто забил гол? (*at a football match*)	kto zabil gol?
	Кто забросил шайбу? (*at a hockey game*)	kto zabrosil shaybu?
Who is the team captain?	Кто капитан команды?	kto kapitan kamandi?
What is the score?	Какой счёт?	kakoy shchot?
Who finished first?	Кто финишировал первым?	kto finishiraval pⁱervim?
Who is the... champion?	Кто чемпион по...?	kto chimpion pa...?
athlete	спортсмен(-ка)	spartsmⁱen(-ka)
badminton	бадминтон	badminton
ball	мяч	mⁱach
bicycle	велосипед	vilasipⁱet
boat	лодка	lotka
champion	чемпион	chimpion
checkers	шашки	shashki
chess	шахматы	shakhmati
coach	тренер	trⁱenir
club (*society*)	клуб	klup
~ member	член клуба	chlⁱen kluba
competition	соревнования	sarivnavaniya
contest	соревнования	sarivnavaniya
to take part in ~	участвовать в соревнованиях	uchastvavatⁱ f sarivnavaniyakh

● WORDS

cup	кубок	kubak
defeat *n*	поражение	parazheniye
do sports/go in for sports	заниматься спортом	zanimatsa sportam
draughts	шашки	shashki
emblem	эмблема	embl'ema
even the scores	сравнять счёт	sravn'at' shchot
figure skating	фигурное катание	figurnaye kataniye
final/finals	финал	final
football	футбол	fudbol
play ~	играть в ~	igrat' f ~
game	игра	igra
horse-races	скачки, бега	skachki, biga
ice hockey	хоккей	khak'ey
lose	проиграть	praigrat'
match (*game*)	матч	mach
motor-racing	автогонки	aftagonki
Olympic Games	Олимпийские игры	alimpiyskii igri
racquet/racket	ракетка	rak'etka
rules	правила	pravila
break ~	нарушать ~	narushat' ~
score a goal	забить гол	zabit' gol
semi-final	полуфинал	polufinal
skate	кататься на коньках	katatsa na kan'kakh
skates	коньки	kan'ki
skating rink	каток	katok
ski	кататься на лыжах	katatsa na lizhakh
skis	лыжи	lizhi
ski-jump	трамплин	tramplin

159

SPORTS
СПОРТ

sports	спорт	sport
spring-board	трамплин	tramplin
stands (*for specta-tors*)	трибуна	tribuna
swimming	плавание	plavaniye
swimming-pool	плавательный бассейн	plavatil'niy bas'eyn
table-tennis	настольный теннис, пинг-понг	nastol'niy tenis, pink-ponk
team	команда	kamanda
team captain	капитан команды	kapitan kamandi
tennis	теннис	tenis
tennis-court	теннисный корт	tenisniy kort
tournament	турнир	turnir
trainer	тренер	tr'enir
training	тренировка	trinirofka
trotting race	ипподром	ipadrom
victory	победа	pab'eda
volleyball	волейбол	valiybol
yacht/sailboat	яхта	yakhta
win *v*	победить	pabidit'

MEDICAL TREATMENT

МЕДИЦИН-СКАЯ ПО-МОЩЬ

All kinds of medical treatment in the USSR are free. If you feel unwell during your stay in the USSR, you can call a doctor through the floor maid or through the service bureau at your hotel. If you find it necessary to consult a medical specialist other than a physician, such as an eye doctor, a surgeon, etc., you are welcome at the Intourist outpatients' clinic.

I am not feeling well	Я плохо себя чувствую	ya plokha sib'a chustvuyu
Is there a doctor here?	Здесь есть врач?	zd'es' yest' vrach?
Would you please call...	Вызовите, пожалуйста...	vizaviti, pazhalsta...
a doctor	врача	vracha
a nurse	сестру	sistru
an ambulance	скорую помощь	skoruyu pomashch
Which outpatients' clinic should I go to?	В какую поликлинику мне обратиться?	f kakuyu palikliniku mn'e abratitsa?
How do I get to the outpatients' clinic?	Как мне пройти в поликлинику?	kak mn'e prayti f palikliniku?
I need...	Мне нужно показаться...	mn'e nuzhna pakazatsa...
a dentist	зубному врачу	zubnomu vrachu
a physician	терапевту	tirap'eftu

161

an eye doctor	окулисту	akulistu
I want to make an appointment with...	Я хочу записаться на приём...	ya khachu zapisatsa na priyom...
a neurologist	к невропатологу	k nivrapatolagu
a urologist	к урологу	k urolagu
a gynaecologist	к гинекологу	g ginikolagu
What are doctor...'s hours?	Когда принимает врач...?	kagda prinimait vrach...?

AT A PHYSI-CIAN'S

У ТЕРАПЕВТА

I have...	У меня болит...	u min'a balit...
a sore throat	горло	gorla
a heart pain	сердце	s'ertse
a stomach ache	желудок	zhiludak
I have a temperature	У меня температура	u min'a timpiratura
I feel giddy/dizzy	У меня кружится голова	u min'a kruzhitsa galava
I am sick	Меня тошнит	min'a tashnit
I have been sick/throwing up	У меня рвота	u min'a rvota
I've got a pain here	У меня болит здесь	u min'a balit zd'es'
I am allergic to...	У меня аллергия на...	u min'a alirgiya na...
odours/odors	запахи	zapakhi
some medicines	лекарства	likarstva
I am expecting a baby	Я жду ребёнка	ya zhdu rib'onka
I am constipated	У меня запор	u min'a zapor
I have diarrhoea	У меня понос	u min'a panos
I have a heavy cold	Я простудился (простудилась)	ya prastudils'a (prastudilas')

PHRASES

162

I have a headache	У меня головные боли	u min'a galavnii boli
I have a head cold	У меня насморк	u min'a nasmark
I've got a cough	У меня кашель	u min'a kashil'
I have a chill	Меня лихорадит	min'a likharadit
I have no appetite	У меня нет аппе-тита	u min'a n'et apitita
I am on a diet	Я на диете	ya na diyeti
Is it serious?	Это серьёзное за-болевание?	eta sir'yoznaye zabalivaniyc?
Shall I stay in bed?	Я должен соблю-дать постельный режим?	ya dolzhin sa-bl'udat' pa-st'el'niy riz-him?
Is it catching?	Это заразная бо-лезнь?	eta zaraznaya ba-l'ezn'?
What shall I take for it?	Какие лекарства вы рекомендуете?	kakii likarstva vi ri-kaminduiti?
Usually my blood pressure is normal (high, low)	Обычно у меня нормальное (высо-кое, низкое) давле-ние	abichna u min'a narmal'naye (vi-sokaye, niskaye) davl'eniye
Do I need to see you again, doctor?	Мне нужно прийти к вам снова, док-тор?	mn'e nuzhna pri-tti k vam snova, doktar?
When shall I see you again?	Когда мне снова прийти?	kagda mn'e sno-va pritti?

AT A SURGEON'S   У ХИРУРГА

Doctor, I have a pain here	Доктор, у меня болит здесь	doktar, u min'a balit zd'es'
I have dislocated my shoulder (my finger)	Я вывихнул руку (палец)	ya vivikhnul ruku (palits)
I have probably	Я, наверное, сло-	ya, nav'ernaye,

♦ PHRASES

163

6*

broken my leg (my arm)	мал(-а) ногу (руку)	slamal(-a) nogu (ru-ku)
I've hurt my finger (arm, leg)	Я поранил(-а) палец (руку, ногу)	ya paranil(-a) palits (ruku, nogu)
I have bruised my leg (knee)	Я ушиб (ушибла) ногу (колено)	ya uship (ushibla) nogu (kal'ena)
Is it dislocated or broken?	У меня вывих или перелом?	u min'a vivikh ili pirilom?
Would you please have a look at this...	Прошу вас, посмотрите этот...	prashu vas, pasmatriti etat...
boil	нарыв	narif
bruise	ушиб	ushp
burn	ожог	azhok
cut	порез	par'es
I have a sharp pain...	У меня острая боль...	u min'a ostraya bol'...
in my right (left) side	в правом (левом) боку	f pravam (l'evam) baku
in my backbone	в позвоночнике	f pazvanochniki
here	здесь	zd'es'
Could you do an X ray?	Я прошу вас сделать рентген	ya prashu vas zd'elat' ring'en
When should I come again?	Когда мне вам показаться?	kagda mn'e vam pakazatsa?

AT A DENTIST'S У ЗУБНОГО ВРАЧА

I have a terrible toothache	У меня острая зубная боль	u min'a ostraya zubnaya bol'
Would you please examine my tooth	Посмотрите, пожалуйста, этот зуб	pasmatriti, pazhalsta, etat zup
I have a toothache	У меня болит зуб	u min'a balit zup
I have a swollen gum	У меня опухла десна	u min'a apukhla disna

I have a broken tooth (denture)	У меня сломался зуб (протез)	u min'a slamal-s'a zup (prates)
I have lost a filling	У меня выпала пломба	u min'a vipala plomba
I need a filling	Мне нужно поставить пломбу	mn'e nuzhna pastavit' plombu
Would you pull this tooth (repair/fix this denture), please	Пожалуйста, удалите зуб (почините протез)	pazalsta, udaliti zup (pachiniti prates)
I would like something to relieve the pain	Дайте, пожалуйста, что-нибудь болеутоляющее	dayti, pazhalsta, shto-nibut' boliutal'ayushchiye

AT THE CHEMIST'S/PHARMACY   В АПТЕКЕ

Is there a chemist's/drug counter in the hotel?	В гостинице есть аптечный киоск?	v gastinitsi yest' apt'echniy kiosk?
How do I get to the chemist's/pharmacy?	Как пройти к аптеке?	kak prayti k apt'eki?
Do you have this medicine? Here is the prescription	У вас есть это лекарство? Вот рецепт	u vas yest' eta likarstva? vot ritsept
Do you have a substitute for this medicine?	У вас есть заменитель этого лекарства?	u vas yest' zaminitil' etava likarstva?
Can I buy this medicine without a prescription?	Можно ли купить это лекарство без рецепта?	mozhna li kupit' eta likarstva biz ritsepta?
Do you have it in tablet or powder form?	У вас это лекарство в таблетках или в порошках?	u vas eta likarstva f tabl'etkakh ili f parashkakh?
When will it be ready?	Когда будет готово?	kagda budit gatova?
Please, would you	Дайте мне, пожа-	dayti mn'e, pa-

give me something for...	луйста, что-нибудь...	zhalsta, shto-nibut'...
a cough	от кашля	at kashl'a
a cold	от насморка	at nasmarka
my headache	от головной боли	ad galavnoy boli
an upset stomach (diarrhoea)	от расстройства желудка (поноса)	at rastroystva zhilutka (pano-sa)
constipation	от запора	ad zapora
How do I take this medicine?	Как нужно принимать это лекарство?	kak nuzhna prinimat' eta likarstva?
On an empty stomach?	Натощак?	natashchak?
After a meal?	После еды?	posli yidi?
Before a meal?	Перед едой?	pirid yidoy?
How many times a day do I take this medicine?	Сколько раз в день надо принимать это лекарство?	skol'ka ras v d'en' nada prinimat' eta li-karstva?
Would you please give me...	Дайте, пожалуйста, что-нибудь...	dayti, pazhalsta, shto-nibut'...
something for diarrhoea	закрепляющее	zakripl'ayu-shchiye
a laxative	слабительное	slabitil'naye
something for a fever	жаропонижающее	zharapanizhayu-shchiye
a disinfectant	дезинфицирующее	dizinfitsi-ruyushchiye
Would you please give me some sleeping pills	Дайте, пожалуйста, какое-нибудь снотворное	dayti, pazhalsta, ka-koye-nibut' snat-vornaye
Would you please give me...	Дайте, пожалуйста...	dayti, pazhalsta...
some aspirin	аспирин	aspirin
a bandage	бинт	bint

some cotton wool/absorbent cotton	вату	vatu
some iodine	йод	yot
bandaids	пластырь	plastirⁱ
some eye-drops	глазные капли	glaznii kapli
some vaseline	вазелин	vazilin
a hot water bottle	грелку	grⁱelku
a thermometer	термометр	tirmomitr

OPTICS   ОПТИКА

I have broken my glasses	Я разбил(-а) очки	ya razbil(-a) achki
I have to have the lens changed	Мне нужно заменить стекло	mnⁱe nuzhna za minitⁱ stiklo
I need...	Мне нужны...	mnⁱe nuzhni...
tinted glasses	дымчатые очки	dimchitii achki
sunglasses	солнечные очки	solnichnii achki
I have astigmatism	У меня астигматизм	u minⁱa astigmatizm
I am short-sighted/near-sighted (far-sighted)	У меня близорукость (дальнозоркость)	u minⁱa blizarukastⁱ (dalⁱnazorkastⁱ)
What sort of frames do you have?	Какие у вас есть оправы?	kakii u vas yestⁱ apravi?
I would like to buy... frames	Я хотел(-а) бы купить... оправу	ya khatⁱel(-a) bi kupitⁱ... apravu
metal	металлическую	mitalichiskuyu
child's	детскую	dⁱetskuyu
modern	современную	savrimⁱennuyu
Would you please show me these frames	Покажите, пожалуйста, эту оправу	pakazhiti, pazhalsta, etu apravu

PHRASES

167

WORDS •

How much are they?	Сколько она стоит?	skol'ka ana stoit?
accident	несчастный случай	nishchasniy sluchiy
ache	[тупая] боль	[tupaya] bol'
ambulance	скорая помощь	skoraya pomashch
analgetic (pain killer)	болеутоляющее	boliutal'ayu-shchiye
analysis/test	анализ	analis
have analyses/tests	делать анализы	d'elat' analizi
anaesthetic	обезболивающее	abizbolivayushchiye
appetite	аппетит	apitit
aspirin	аспирин	aspirin
bandage *n*	бинт	bint
bandage *v*	перевязывать	piriv'azivat'
be ill	болеть	bal'et'
be under medical observation/care	находиться под медицинским наблюдением	nakhaditsa pad miditsinskim nabl'ud'eniyem
bleeding	кровотечение	kravaticheniye
stop the ~	остановить ~	astanavit' ~
blood pressure	[кровяное] давление	[kravinoye] davl'eniye
high ~	повышенное ~	pavishinaye ~
low ~	пониженное ~	panizhinaye ~
normal ~	нормальное ~	narmal'naye ~
breathing	дыхание	dikhaniye
call a doctor	вызвать врача	vizvat' vracha
case record	история болезни	istoriya bal'ezni
cheese-cloth/gauze	марля	marl'a
chemist's/drugstore	аптека	apt'eka

complication	осложнение	aslazhneniye
compress	компресс	kamprⁱes
cold ~	холодный ~	khalodniy ~
cotton wool/absorbent cotton	вата	vata
diet	диета	diyeta
be on a ~	быть на диете	bitⁱ na diyeti
dress a wound	перевязать рану	pirivizatⁱ ranu
drops	капли	kapli
ease pain	облегчить боль	ablikhchitⁱ bolⁱ
enema	клизма	klizma
expectorant/cough-medicine	отхаркивающее	atkharkivayushchiye
eyesight	зрение	zrⁱeniye
poor ~	слабое ~	slabaye ~
fever, high temperature	жар, повышенная температура	zhar, pavishinaya timpiratura
fill a tooth	запломбировать зуб	zaplambiravatⁱ zup
filling	пломба	plomba
first aid	первая помощь	pⁱervaya po-mashch
gargle *n*	полоскание	palaskaniye
gargle *v*	полоскать горло	palaskatⁱ gorla
Goulard (water)	свинцовая примочка	svintsovaya pri-mochka
have a massive heart attack	перенести инфаркт	pirinisti infarkt
have a stroke	перенести инсульт	pirinisti insulⁱt
headache	головная боль	galavnaya bolⁱ
health	здоровье	zdarovⁱye

heating pad	[электро]грелка	[el'ektra]gr'el-ka
hearing	слух	slukh
infection	инфекция	inf'ektsiya
injection	укол	ukol
have an ~	сделать ~	zd'elat' ~
inoculation/preventive treatment	прививка	privifka
insulin	инсулин	insulin
liquid	жидкость	zhitkast'
[liquid] medicine	микстура	mikstura
massage	массаж	masash
have a ~	делать ~	d'elat' ~
medical check-up	медицинский осмотр	miditsinskiy asmotr
medicinal herbs	лекарственные травы	likarstvinii travi
ointment	мазь	mas'
olfactory sense	обоняние	aban'aniye
operation	операция	apiratsiya
undergo an ~	перенести операцию	pirinisti apiratsiyu
outpatients' clinic	поликлиника	paliklinika
pain	боль	bol'
sharp ~	острая ~	ostraya ~
back ~	~ в спине	~ f spin'e
chest ~	~ в груди	~ v grudi
lower back ~	~ в пояснице	~ f payisnitsi
~ in one's joints	~ в суставах	~ f sustavakh
~ in one's side	~ в боку	~ v baku
pharmacy	аптека	apt'eka
pill/tablet	пилюля	pil'ul'a

plaster *n*	пластырь	plastirⁱ
poultice/hot compress	горячий компресс, припарка	garⁱachiy kamprⁱes, priparka
powder	порошок	parashok
pregnancy	беременность	birⁱeminastⁱ
preparation	средство	srⁱetstva
prescription	рецепт	ritsept
write out a ~	выписать ~	vⁱpisatⁱ ~
pressure	давление	davlⁱeniye
measure one's ~	измерить ~	izmⁱeritⁱ ~
pulse	пульс	pulⁱs
stool	стул	stul
suppository	свеча	svicha
syringe	шприц	shprits
tablet	таблетка	tablⁱetka
taste	вкус	fkus
temperature	температура	timpiratura
measure one's ~	измерить температуру	izmⁱeritⁱ timpiraturu
treat	лечить	lichitⁱ
treatment	процедура	pratsidura
warm *v*	прогревать	pragrivatⁱ
wash out the stomache	промыть желудок	pramitⁱ zhiludak
X ray	рентген (*procedure*) [рентгеновский] снимок (*result*)	ringⁱen [ringⁱenafskiy] snimak
have an ~	делать рентген	dⁱelatⁱ ringⁱen

Diseases   Заболевания

abscess	нарыв, фурункул	narif, furunkul
AIDS	СПИД	spit

MEDICAL TREATMENT
МЕДИЦИНСКАЯ ПОМОЩЬ

allergy	аллергия	alirgiya
appendicitis	аппендицит	apinditsit
asthma	астма	astma
attack *n*	приступ	pristup
heart ~	сердечный ~	sird'echniy ~
burn *n*	ожог	azhok
calculus stone	камень	kamin'
billiary ~	~ в жёлчном пузыре	~ v zholchnam puzir'e
renal ~	~ в почках	~ f pochkakh
carbuncle	карбункул	karbunkul
cold	простуда, насморк	prastuda, nasmark
concretions	камни	kamni
concussion of the brain	сотрясение мозга	satris'eniye mozga
constipation	запор	zapor
convulsions	судорога, конвульсия	sudaraga, kanvul'siya
cough	кашель	kashil'
diarrhoea	понос	panos
diabetes	диабет	diab'et
disease	заболевание	zabalivaniye
infectious (catching) ~	инфекционное ~	infiktsionnaye ~
dislocation	вывих	vivikh
edema, swelling	опухоль	opukhal'
fainting fit	обморок	obmarak
Fiacre's disease, haemorrhoids	геморрой	gimaroy
fracture	трещина	tr'eshchina
furuncle	фурункул	furunkul

gallstone	жёлчный камень	zholchniy kamin[i]
gastric ulcer	язва желудка	yazva zhilutka
gastritis	гастрит	gastrit
giddiness/dizziness	головокружение	galavakruzheniye
hernia	грыжа	grizha
influenza	грипп	grip
injury	травма	travma
kidney stone	почечный камень	pochichniy kamin[i]
pneumonia	пневмония, воспа-ление лёгких	pnevmaniya, vaspaleniye l'okhkikh
poisoning food ~	отравление пищевое ~	atravl'eniye pishchivoye ~
rheumatic fever, rheumatism	ревматизм	rivmatizm
sickness	тошнота	tashnata
stroke	инсульт	insul't
sunstroke	солнечный удар	solnichniy udar
spasm	спазм	spazm
temperature high ~	температура высокая ~	timpiratura visokaya ~
taetanus	столбняк	stalbn'ak
tumor benign ~	опухоль доброкачественная ~	opukhal'i dabrakachistvinaya ~
malignant ~	злокачественная ~	zlakachistvinaya ~
vomiting	рвота	rvota
upset stomach	расстройство же-лудка	rastroystva zhilutka
wound	рана	rana

Medical Personnel / Медицинский персонал

cardiologist	кардиолог	kardiolak
dentist	зубной врач	zubnoy vrach
dermatologist	дерматолог	dirmatolak
doctor	врач	vrach
the head ~	главный ~	glavniy ~
ear, nose and throat specialist	отоларинголог	otalaringolak
eye doctor	глазной врач	glaznoy vrach
gynaecologist	гинеколог	ginikolak
neurologist	невропатолог	nivrapatolak
nurse	медсестра	m'etsistra
oncologist	онколог	ankolak
ophthalmologist	глазной врач	glaznoy vrach
orderly	санитарка	sanitarka
orthopaedist	ортопед	artap'et
paediatrician	педиатр	pidiatr
psychiatrist	психиатр	psikhiatr
stomatologist	стоматолог	stamatolak
surgeon	хирург	khirurk
urologist	уролог	urolak

Body Parts and Major Human Organs / Части тела и основные органы человека

abdomen	живот	zhivot
ankle	лодыжка	ladishka
aorta	аорта	aorta
arm	рука	ruka
artery	артерия	arteriya

174

back	спина	spina
bladder	мочевой пузырь	machivoy puzir[i]
blood	кровь	krof[i]
body	тело	t[i]ela
bone	кость	kost[i]
brain	мозг	mosk
buttock	ягодица	yagaditsa
cheek	щека	shchika
chest	грудь	grut[i]
chin	подбородок	padbarodak
ear	ухо	ukha
elbow	локоть	lokat[i]
eye	глаз	glas
eyebrow	бровь	brof[i]
eyelid	веко	v[i]eka
face	лицо	litso
finger	палец	palits
foot	нога	naga
forehead	лоб	lop
gall bladder	жёлчный пузырь	zholchniy puzir[i]
gum	десна	disna
hair	волосы	volasi
hand	рука	ruka
head	голова	galava
heart	сердце	s[i]ertse
hip	бедро	bidro
intestine	кишечник	kishechnik
small ~	тонкие кишки	tonkii kishki
large ~	толстая кишка	tolstaya kishka

joint	сустав	sustaf
kidneys	почки	pochki
knee	колено	kaliena
leg	нога	naga
lip	губа	guba
liver	печень	piechini
lungs	лёгкие	liokhkii
mouth	рот	rot
muscle	мышца	mishtsa
nail	ноготь	nogati
neck	шея	sheya
nerve	нерв	nierf
nose	нос	nos
palm	ладонь	ladoni
rib	ребро	ribro
skull	череп	cherip
shoulder	плечо	plicho
shoulder blade	лопатка	lapatka
side	бок	bok
skin	кожа	kozha
small of the back	поясница	payisnitsa
spinal column	позвоночник	pazvanochnik
spleen	селезёнка	silizionka
stomach	желудок	zhiludak
throat	горло	gorla
tendon	сухожилие	sukhazhiliye
tongue	язык	yizik
tooth	зуб	zup
vein	вена	viena

MEDICAL TREATMENT
МЕДИЦИНСКАЯ ПОМОЩЬ

vessels	сосуды	sasudi
blood ~	кровеносные ~	kravinosnii ~
wrist	запястье	zap'ast'ye

TRAVELLING   ПУТЕШЕ-
СТВИЕ

Excuse me, where is...?	Скажите, пожалуйста, где...?	skazhiti, pazhalsta, gdⁱe...?
the information office	справочное бюро	spravachnaye bⁱuro
the waiting room	зал ожидания	zal azhidaniya
the ticket office	касса	kassa
WC/rest room	туалет	tualⁱet

Are there any trains (flights) to Paris (Berlin) today?
Сегодня есть поезд (самолёт) на Париж (Берлин)?
sivodnⁱa yestⁱ poist (samalⁱot) na parish (birlin)?

At which airport does the London (the Tallinn) flight arrive?
В какой аэропорт прилетает самолёт из Лондона (из Таллина)?
f kakoy aeraport prilitait samalⁱot iz londana (is tallina)?

I want a ticket to Tbilisi (Baku)
Мне нужен билет до Тбилиси (Баку)
mnⁱe nuzhin bilⁱet da tbilisi (baku)

I want three tickets to Kiev
Дайте, пожалуйста, три билета до Киева
dayti, pazhalsta, tri bilⁱeta da kiiva

How much is a ticket to...?
Сколько стоит билет до ...?
skolⁱka stoit bilⁱet da...?

Where is the left luggage room/check room?
Где камера хранения?
gdⁱe kamira khranⁱeniya?

Where do I collect my bags?
Где получить багаж?
gdⁱe paluchitⁱ bagash?

178

Where is the exit to the city?	Где выход в город?	gd^{i}e vikhat v gorat?
airplane schedule	расписание самолётов	raspisaniye sama-l^{i}otaf
arrival	прибытие; прилёт (*about a plane*)	pribitiye; pril^{i}ot
baggage	багаж	bagash
baggage claim	выдача багажа	vidacha bagazha
baggage-locker	автоматическая камера хранения	aftamatichiskaya kamira khran^{i}eniya
baggage section	багажное отделение	bagazhnaye addil^{i}eniye
change *n*	пересадка	pirisatka
change *v*	делать пересадку	d^{i}elat^i pirisatku
departure	отъезд (*about people*); отправление (*about transport*)	atyest; atpravl^{i}eniye
information office	справочное бюро	spravachnaye b^{i}uro
first aid station	медпункт	m^{i}etpunkt
left-luggage room, check room	камера хранения	kamira khran^{i}eniya
luggage	багаж	bagash
piece of ~	место багажа	m^{i}esta bagazha
passenger	пассажир	pasazhir
restaurant	ресторан	ristaran
seat	место	m^{i}esta
ticket	билет	bil^{i}et
children's ~	детский ~	d^{i}etskiy ~
return ~	обратный ~	abratniy ~

round-trip ~	~ туда и обратно	~ tuda i abratna
season/commuter's ~	сезонный ~	sizonniy ~
reserve ~	заказать ~	zakazatⁱ ~
ticket-office	касса	kassa
time	время	vrⁱemⁱa
departure ~	~ отправления	~ atpravlⁱeniya
arrival ~	~ прибытия	~ pribitiya
train time-table/schedule	расписание	raspisaniye
waiting room	зал ожидания	zal azhidaniya
WC/rest room	туалет	tualⁱet

PHRASES

RAILWAY/RAIL-ROAD

ЖЕЛЕЗНАЯ ДОРОГА

What station do trains to... leave from?	С какого вокзала отправляются поезда на...?	s kakova vagzala atpravlⁱayutsa paizda na...?
Is there a through train to...?	Есть ли прямой поезд до...?	yestⁱ li primoy poist da...?
Can I have a first-class ticket to Leningrad (Kiev), please?	Дайте, пожалуйста, билет до Ленинграда (Киева) в мягкий вагон	dayti, pazhalsta, bi-lⁱet da lⁱeningrada (kiiva) v mⁱakhkiy vagon
I would like to have an upper (lower) berth	Мне, пожалуйста, верхнее (нижнее) место	mnⁱe, pazhalsta, vⁱerkhniye (nizhniye) mⁱesta
Two lower berths, please	Два нижних, пожалуйста	dva nizhnikh, pazhalsta
How much is a sleeper to...?	Сколько стоит билет в купейный вагон до...?	skolⁱka stoit bi-lⁱet f kupⁱeyniy vagon da...?
When do trains for Brest leave?	Когда отправляются поезда на Брест?	kagda atpravlⁱayutsa paizda na brⁱest?

What is the departure time for train...?	Во сколько отправляется поезд номер...?	va skol'ka atpravl'aitsa poist nomir...?
When will the train arrive in...?	Когда поезд прибывает...?	kagda poist pribivait...?
Vilnius	в Вильнюс	v vil'n'us
Minsk	в Минск	v minsk
How long does the train take to get to Moscow?	Сколько часов поезд идёт до Москвы?	skol'ka chisof poist id'ot da maskvi?
How do I get to Platform...?	Как пройти на платформу номер...?	kak prayti na platformu nomir...?
When can we get on Train...?	Когда начинается посадка на поезд...?	kagda nachinaitsa pasatka na poist...?
Have they already announced that Train... has come in?	Посадка на поезд... уже объявлена?	pasatka na poist... uzhe abyavlina?
Is this Train (Coach, Seat)...?	Это поезд (вагон, место) номер...?	eta poist (vagon, m'esta) nomir...?
How long before the train leaves?	Сколько минут осталось до отхода поезда?	skol'ka minut astalas' da atkhoda poizda?
Here is my ticket	Вот мой билет	vot moy bil'et
I have an upper (lower) berth	У меня верхнее (нижнее) место	u min'a v'erkhniye (nizhniye) m'esta
Do you mind my...?	Вы не возражаете, если я...?	vi ni vazrazhaiti, yesli ya...?
opening (closing) the window (the door)	открою (закрою) окно (дверь)	atkroyu (zakroyu) akno (dv'er')
switching on (off) the light	включу (выключу) свет	fkl'uchu (vikl'uchu) sv'et

181

having a smoke	закурю	zakur'u
May I put my suit-case (bag) here?	Я могу поставить сюда свой чемодан (свою сумку)?	ya magu pastavit' s'uda svoy chimadan (svayu sumku)?
Could you put my suit-case up on the rack?	Вы не могли бы поставить мой чемодан наверх?	vi ni magli bi pastavit' moy chimadan nav'erkh?
Could you help me with my bag?	Вы не могли бы мне помочь поставить сумку?	vi ni magli bi mn'e pamoch pastavit' sumku?
Excuse me (when someone is in the way)	Разрешите пройти	razrishiti prayti
Could we have... please?	Принесите, пожалуйста...	prinisiti, pazhalsta...
two cups of tea	два стакана чая	dva stakana chaya
a cup of coffee	чашку кофе	chashku kof'e
one more blanket	ещё одно одеяло	yishcho adno adiyala
What is the next station?	Какая следующая остановка?	kakaya sl'eduyushchiya astanofka?
How long does the train stop here?	Сколько времени поезд стоит на этой станции?	skol'ka vr'emini poist stait na etay stantsii?
May I step outside?	Можно выйти?	mozhna viyti?
Are we running late?	Мы опаздываем?	mi apazdivaim?
How much are we running late?	На сколько мы опаздываем?	na skol'ka mi apazdivaim?
When are we going to pass...?	Когда мы будем проезжать...?	kagda mi budim prayizhzhat'...?
Please wake me...	Пожалуйста, разбудите меня...	pazhalsta, razbuditi min'a...

at... o'clock	в... часов	v... chisof
an hour before we arrive in...	за час до прибытия в...	za chas da pribitiya v...
bed	постель	past'el'
brake/communication cord	стоп-кран	stop-kran
carriage/car	вагон	vagon
first class ~	мягкий ~	m'akhkiy ~
second class ~	жёсткий ~	zhoskiy ~
change v	поменять	pamin'at'
~ one's ticket	~ билет	~ bil'et
~ one's seat	~ места	~ mista
~ compartments	~ купе	~ kupe
~ a carriage	~ вагон	~ vagon
compartment	купе	kupe
conductor	проводник	pravadnik
express	скорый поезд	skoriy poist
platform	платформа	platforma
porter	носильщик	nasil'shchik
restaurant-car/diner	вагон-ресторан	vagon-ristaran
sleeper	купейный вагон	kup'eyniy vagon
start/depart	отправляться	atpravl'atsa
station	вокзал (*at a city*); станция (*at a small town*)	vagzal; stantsiya
tea	чай	chay
terminus	вокзал	vagzal
track	путь	put'
train	поезд	poist
electric ~	электропоезд, электричка	elektrapoist, eliktrichka

long-distance ~	~ дальнего следования	~ dal'niva sl'edavaniya
passenger ~	пассажирский ~	pasazhirskiy ~
suburban ~	пригородный ~	prigaradniy ~
through ~	прямой ~	primoy ~
be late for a ~	опоздать на ~	apazdat' na ~
get on a ~	садиться на ~	saditsa na ~
train time-table/schedule	расписание поездов	raspisaniye paizdof
waiting room	зал ожидания	zal azhidaniya
water	вода	vada
boiling ~	кипяток	kipitok
hot ~	горячая ~	gar'achaya ~
cold ~	холодная ~	khalodnaya ~
drinking ~	питьевая ~	pit'yivaya ~
boiled ~	кипячёная ~	kipichonaya ~

AIRPLANE   САМОЛЁТ

You can book a ticket for an internal airline, postpone a flight or confirm a reservation at the Aeroflot Intourist service bureau or any cash desks. You must check in for a flight and register your luggage at the airport from 1 $^1/_2$ to 2 hours before the take off, or at the booking-office at the city central terminal — from 2 $^1/_2$ to 3 hours before the take-off.

On internal air lines, 20 kg of luggage per passenger are free of charge. On international airlines this varies according to the class: up to 30 kg are allowed for 1st class passengers, and up to 20 kg for economy class. Excess baggage must be paid for.

Where is the Aeroflot office?	Где находится представительство Аэрофлота?	gd'e nakhoditsa pritstavitil'stva aeraflota?
I would like (We would like) to confirm my (our) return reservation	Я хотел(-а) бы (Мы хотели бы) подтвердить свой обратный рейс	ya khat'el(-a) bɨ (mɨ khat'eli bɨ) pattvirdit' svoy abratniy r'eys
On what days are	По каким дням	pa kakim dn'am

there planes to London?	летают самолёты в Лондон?	līṭayut samalʲoti v londan?
When is the next flight to...?	Когда следующий рейс до...?	kagda slʲe-duyushchiy rʲeys da...?
Is it a direct flight?	Это прямой рейс или с пересадкой?	eta primoy rʲeys ili s pirisatkay?
Where does the plane land?	Где будет посад-ка?	gdʲe budit pasat-ka?
How long is the flight?	Какая продолжи-тельность полёта?	kakaya pradalzhi-tilʲnastʲ palʲota?
When does the plane to... take off?	Во сколько выле-тает самолёт до...?	va skolʲka vilitait samalʲot da...?
Which airport do we fly from?	Из какого аэро-порта мы выле-таем?	is kakova aeraporta mi vilitaim?
When do we have to be at the air-port?	Когда мы должны быть в аэропорту?	kagda mi dalzhni bitʲ v aeraportu?
Is the airport far from the city?	Аэропорт далеко от города?	aeraport daliko ad gorada?
Which bus goes to "Sheremetyevo" ("Vnoukovo", "By-kovo")?	Какой автобус идёт до Шереме-тьева (Внукова, Быкова)?	kakoy aftobus idʲot da shirimʲe-tʲyiva (vnukava, bikova)?

Рейс номер... откладывается до четырнадцати часов	Flight... has been delayed un-til 2 p. m.
Объявляется посадка на рейс номер семь до Лондо-на. Регистрация у стойки номер...	Passengers are requested to board Flight 7 to London. Passengers must check in at Desk...
Where do we check in for Flight... to London?	Где регистрация билетов на рейс номер... до Лондо-на?	gdʲe rigistratsiya bilʲetaf na rʲeys nomir... da londana?
Here is my...	Вот...	vot...

185

ticket	мой билет	moy bil'et
customs declaration	моя таможенная декларация	maya tamozhinaya diklaratsiya
passport	мой паспорт	moy paspart
luggage/baggage	мой багаж	moy bagash
hand luggage	мой ручной багаж	moy ruchnoy bagash

May I take this bag (box) into the cabin?	Можно взять с собой эту сумку (коробку)?	mozhna vz'at' s saboy etu sumku (karopku)?

У вас лишний вес   You have excess baggage

Which gate do I board at?	К какому выходу пройти на посадку?	k kakomu vikhadu prayti na pasatku?
Where are our seats?	Где наши места?	gd'e nashi mista?
I want...	Дайте, пожалуйста...	dayti, pazhalsta...
a blanket	плед	pl'et
some water	воды	vadi
a newspaper	газету	gaz'etu
a magazine	журнал	zhurnal
Where is the ashtray?	Где пепельница?	gd'e p'epil'nitsa?
I don't feel well	Мне плохо	mn'e plokha
I am sick	Меня тошнит	min'a tashnit
I want an airsickness bag	Дайте, пожалуйста, гигиенический пакет	dayti, pazhalsta, gigiinichiskiy pak'et
When do we land?	Когда мы должны приземлиться?	kagda mi dalzhni prizimlitsa?
airfield	аэродром	aeradrom
air-hostess	бортпроводница	bortpravadnitsa
airline	авиалиния	avialiniya

airport	аэропорт	aeraport
air-sickness bag	гигиенический пакет	gigiinichiskiy pak'et
air terminal	аэровокзал	aeravagzal
approach land	заходить на посадку	zakhadit' na pasatku
baggage tag	багажная бирка	bagazhnaya birka
boarding	посадка	pasatka
boarding pass	посадочный талон	pasadachniy talon
check-in	регистрация билетов	rigistratsiya bil'etaf
check-in desk	стойка	stoyka
captain	командир экипажа	kamandir ekipazha
class	класс	klass
first ~	первый ~	p'erviy ~
economy ~	туристский ~	turisskiy ~
come down	снижаться	snizhatsa
crew	экипаж самолёта	ekipash samal'ota
excess baggage	лишний вес	lishniy v'es
flight	рейс	r'eys
flight number	номер рейса	nomir r'eysa
fasten seat belts	пристегнуть ремни	pristignut' rimni
helicopter	вертолёт	virtal'ot
land v	приземлиться	prizimlitsa
landing	посадка	pasatka
make a ~	совершить посадку	savirshit' pasatku
pilot	лётчик, пилот	l'otchik, pilot
ramp	трап	trap
receive/collect baggage	получить багаж	paluchit' bagash

route	трасса, маршрут	trassa, marshrut
runway	взлётная полоса	vzl[i]otnaya palasa
safety-belts	ремни безопасности	rimni bizapasnasti
seat	место	m[i]esta
start *n*	вылет	vilit
stewardess	стюардесса	st[i]uardessa
take off *v*	взлетать	vzlitat[i]
take-off *n*	взлёт	vzl[i]ot
weather unfit for flying	нелётная погода	nil[i]otnaya pagoda
window	иллюминатор	il[i]uminatar

MOTORING   АВТОМОБИЛЬ

If you are travelling by car, you must have, along with your passport and visa, a driving licence, which can be either national or international, with a supplement in Russian which will be given to you on entering the Soviet Union. You must also have an international registration document. The car must have registration plates and a sticker indicating your country of origin. If you wish, you can insure your car through the foreign car insurance agency. You will be given a "Motorist's notebook" which will have written in it your name and nationality, the registration number of your car, your itinerary and the places where you will be stopping.

You can obtain petrol tokens from Intourist. There will be petrol stations along your route 60—100 miles apart.

Here is my licence	Вот мои права	vot mai prava
How do I get to...?	Как проехать к...?	kak prayekhat[i] k...?
Could you show me... on the map, please?	Покажите, пожалуйста, на карте дорогу к...	pakazhiti, pazhalsta, na karti darogu k...
How long will it take me to get to...?	За сколько времени я доеду до...?	za skol[i]ka vr[i]emini ya dayedu da...?

188

Is there any... on the road?	По этой дороге есть...?	pa etay darogi yest¹...?
service station	станция обслуживания	stantsiya apsluzhivaniya
filling station	автозаправочная станция	aftazapravachnaya stantsiya
motel	мотель	matel¹
Is that a good road?	Эта дорога хорошая?	eta daroga kharoshaya?
How many kilometers are there to a camp-site (to the town of...)?	Сколько километров до кемпинга (до города...)?	skol¹ka kilam¹etraf da kempinga (da gorada)?
How do I get to...?	Как проехать до...?	kak prayekhat¹ da...?
Which way is it?	По какой дороге надо ехать?	pa kakoy darogi nada yekhat¹?
Does this road go to...?	Эта дорога ведёт в...?	eta daroga vid¹ot v...?
Am I on my way to...?	Я правильно еду...?	ya pravil¹na yedu...?
the traffic police checking point	к посту ГАИ	k pastu gai
the motel	к мотелю	k matel¹u
the petrol station	на автозаправочную станцию	na aftazapravachnuyu stantsiyu
Would you show me the road to... please	Покажите мне, пожалуйста, дорогу к...	pakazhiti mn¹e, pazhalsta, darogu k...
Where is the car park?	Где стоянка автомобилей?	gd¹e stayanka aftamabiliy?
May I park my car here?	Здесь можно поставить машину?	zd¹es¹ mozhna pastavit¹ mashinu?
Where is the nearest petrol/gas filling station?	Где ближайшая бензоколонка?	gd¹e blizhayshaya b¹enzakalonka?

I want...	Мне нужно...	mn'e nuzhna...
twenty litres of petrol/gas	двадцать литров бензина	dvatsat' litraf binzina
fifty litres of diesel fuel	пятьдесят литров дизельного топлива	piddis'at litraf dizil'nava topliva
How much is a litre of petrol/gas?	Сколько стоит литр бензина?	skol'ka stoit litr binzina?
Will you fill up the tank and the petrol/gas can, please	Наполните, пожалуйста, бак и канистру	napolniti, pazhalsta, bak i kanistru
Do you sell...?	У вас есть...?	u vas yest'...?
brake fluid	тормозная жидкость	tarmaznaya zhitkast'
oil	масло	masla
antifreeze	антифриз	antifris
distilled water	дистиллированная вода	distilirovanaya vada
Can you...?	Прошу вас...	prashu vas...
fill up the oil	долить масло	dalit' masla
change the wheel	заменить колесо	zaminit' kaliso
wash the car	вымыть машину	vimit' mashinu
recharge the battery	зарядить аккумулятор	zaridit' akumul'atar
Could you replace my headlight, please?	Вы можете заменить фару?	vi mozhiti zaminit' faru?
I have had an accident on the way	У меня была авария в пути	u min'a bila avariya f puti
Where could I have my car repaired?	Где можно отремонтировать машину?	gd'e mozhna atrimantiravat' mashinu?
Can you call a service mechanic (a garage)?	Вызовите, пожалуйста, механика (техническую помощь)	vizaviti, pazhalsta, mikhanika (tikhnichiskuyu pomashch)

Can you tow my car to the garage, please?	Можете ли вы отбуксировать мою машину до автомастерской?	mozhiti li vi adbuk-siravat[i] mayu mashinu da aftamastirskoy?
How long will the repair take?	Сколько времени займёт ремонт?	skol[i]ka vr[i]e-mini zaym[i]ot ri-mont?
Can I go on without repairing this?	С этой неисправностью можно ехать дальше?	s etay niispravna-st[i]yu mozhna yekhat[i] dal[i]shi?
Can you repair/fix this?	Вы можете это отремонтировать?	vi mozhiti eta atri-mantiravat[i]?
Could you repair/fix this by tomorrow? I am in a terrible hurry	Вы сможете закончить ремонт до завтра? Я очень спешу	vi smozhiti zakon-chit[i] rimont da zaftra? ya ochin[i] spishu
Do you have the spare parts?	У вас есть нужные запчасти?	u vas yest[i] nuzh-nii zapchasti?
How much is it?	Сколько это будет стоить?	skol[i]ka eta budit stoit[i]?
Is everything all right? Can I go on?	Всё в полном порядке? Можно ехать?	fs[i]o f polnam pa-r[i]atki? mozhna yekhat[i]?

Счастливого пути!   Good luck!
(Bon voyage!)

accelerator	акселератор	aksiliratar
accident	несчастный случай	nishchasniy sluchiy
antifreeze	антифриз	antifris
autoservice	автосервис	aftaservis
brake v	тормозить	tarmazit[i]
brake n	тормоз	tormas
hand ~	ручной ~	ruchnoy ~
brake fluid	тормозная жидкость	tarmaznaya zhit-kast[i]

191

brake-light	стоп-сигнал	stop-signal
bonnet/hood	капот	kapot
body (*of a car*)	кузов	kuzaf
bumper	бампер	bampir
camp site	кемпинг	kempink
car	[легковой] автомо-биль, машина	[likhkavoy] aftama-bil^i, mashina
car park	платная стоянка	platnaya stayanka
carburettor	карбюратор	karb^{i}uratar
check point	пост	post
clutch	сцепление	stsipl^{i}eniye
collision	столкновение	stalknav^{i}eniye
crankshaft	коленчатый вал	kal^{i}enchitiy val
danger	опасность	apasnast^i
direction	направление	napravl^{i}eniye
diversion/detour	объезд	abyest
driving/driver's li-cence	водительские пра-ва	vaditil^{i}skii prava
driver	водитель	vaditil^i
emergency service	аварийная служба, техническая по-мощь	avariynaya sluzhba, tikhnichiskaya po-mashch
engine	мотор, двигатель	mator, dvigatil^i
exhaust pipe	выхлопная труба	vikhlapnaya truba
filling station	заправочная стан-ция	zapravachnaya stan-tsiya
fill up	заправиться	zapravitsa
fog	туман	tuman
fork	развилка	razvilka
fuel	горючее	gar^{i}uchiye

TRAVELLING
ПУТЕШЕСТВИЕ

diesel ~	дизельное ~	dizil'naye ~
garage (*car park*)	гараж	garash
garage (*service station*)	авторемонтная мастерская, станция техобслуживания	aftarimontnaya mastirskaya, stantsiya t'ekhapsluzhivaniya
gear-box	коробка передач	karopka piridach
gear-stick/gear-shift	рычаг переключения передач	richak pirikl'ucheniya piridach
headlight	фара	fara
Highway Police/State Inspection	ГАИ, государственная автоинспекция	gai, gasudarstvinaya aftainsp'ektsiya
icy roads	гололёд	galal'ot
ignition	зажигание	zazhiganiye
ignition key	ключ зажигания	kl'uch zazhiganiya
inner tube	камера	kamira
intersection	перекрёсток	pirikr'ostak
inspector	инспектор	insp'ektar
instruments	инструменты	instrum'enti
jack	домкрат	damkrat
junction	перекрёсток	pirikr'ostak
T-junction	развилка	razvilka
kilometer	километр	kilam'etr
level (railway) crossing	железнодорожный переезд	zhiliznadarozhniy piriyest
lorry/truck	грузовик	gruzavik
map	карта	karta
motel	мотель	matel'
motorcycle	мотоцикл	matatsikl

motorist	автомобилист	aftamabilist
oil	масло	masla
passenger	пассажир	pasazhir
parking	автомобильная стоянка	aftamabil'naya stayanka
free ~	стоянка	stayanka
~ place	платная стоянка	platnaya stayanka
petrol/gas	бензин, горючее	binzin, gar'uchiye
petrol station	автозаправочная станция	aftazapravachnaya stantsıya
petrol/gas can	канистра	kanistra
petrol/gas tank	бензобак	binzabak
police	милиция	militsiya
pump	насос	nasos
oil ~	масляный ~	masliniy ~
petrol/gas ~	бензиновый ~	binzinaviy ~
pump up a tyre	накачать колесо	nakachat' kaliso
put something right/fix	устранить неисправность	ustranit' niispravnast'
radiator	радиатор	radiatar
repair v	ремонтировать	rimantiravat'
repair n	ремонт	rimont
road	дорога	daroga
road sign	дорожный знак	darozhniy znak
safety	безопасность	bizapasnast'
safety belts	ремни безопасности	rimni bizapasnasti
service ramp	эстакада	estakada
signal	сигнал	signal
spanner/wrench	[гаечный] ключ	[gaichniy] kl'uch
spare parts	запчасти	zapchasti

sparking plug/spark plug	свеча зажигания	svicha zazhiganiya
speed *n*	скорость	skorast[i]
speeding	превышение скорости	privisheniye skorasti
speed-limit	ограничение скорости	agranicheniye skorasti
speedometer	спидометр	spidomitr
steering-wheel	руль	rul[i]
storage battery	аккумулятор	akumul[i]atar
tow *v*	буксировать	buksiravat[i]
tow-rope	трос	tros
traffic	движение	dvizheniye
one-way ~	одностороннее ~	adnastaronniye ~
traffic light	светофор	svitafor
red light	красный свет	krasniy sv[i]et
green light	зелёный свет	zil[i]oniy sv[i]et
yellow light	жёлтый свет	zholtiy sv[i]et
trailer	прицеп	pritsep
tune	регулировать	riguliravat[i]
tyre	шина	shina
tyre pressure	давление в шинах	davl[i]eniye f shinakh
wheel	колесо	kaliso
warning sign	предупреждающий знак	priduprizhdayushchiy znak
windscreen/windshield	ветровое стекло	vitravoye stiklo
windscreen wipers	«дворники», стеклоочистители	dvorniki, st[i]ekla-achistitili

SHIP

ТЕПЛОХОД

PHRASES

I would like (We would like) to take a boat trip

Я хочу (Мы хотим) совершить прогулку на теплоходе

ya khachu (mi khatim) savirshit[i] pragulku na tiplakhodi

Can I book a passage on this boat (ship)?

Могу ли я заказать билеты на этот теплоход?

magu li ya zakazat[i] bil[i]eti na etat tiplakhot?

Where can I do it?

Где я могу это сделать?

gd[i]e ya magu eta zd[i]elat[i]?

Where is the river port?

Где речной вокзал?

gd[i]e richnoy vagzal?

Can I buy round-trip tickets?

Могу я купить билеты туда и обратно?

magu ya kupit[i] bil[i]eti tuda i abratna?

How long will a trip down the river take?

Сколько времени продлится прогулка по реке?

skol[i]ka vr[i]emini pradlitsa pragulka pa rik[i]e?

Will the ship get me to...?

Смогу ли я добраться теплоходом до...?

smagu li ya dabratsa tiplakhodam da...?

    Odessa

    Одессы

    adesi

    Sochi

    Сочи

    sochi

    Riga

    Риги

    rigi

When does the ship to Riga depart?

Когда отплывает теплоход до Риги?

kagda atplivait tiplakhot da rigi?

Which ports does the ship call at?

В какие порты заходит теплоход?

f kakii porti zakhodit tiplakhot?

How long does the ship dock here?

Сколько часов стоит теплоход в этом порту?

skol[i]ka chisof stait tiplakhot v etam partu?

How much is...?

Сколько стоит это путешествие...?

skol[i]ka stoit eta putishestviye...?

    a deluxe cabin

    в каюте люкс

    f kayuti l[i]uks

    a first (second) class cabin

    в каюте первого (второго) класса

    f kayuti p[i]ervava (ftarova) klasa

I would like a two-berth (three-berth) cabin	Дайте мне, пожалуйста, двухместную (трёхместную) каюту	dayti mnⁱe, pazhalsta, dvukhmⁱesnuyu (trⁱokhmⁱesnuyu) kayutu
Could you tell me where my cabin is?	Покажите, пожалуйста, где моя каюта	pakazhiti, pazhalsta, gdⁱe maya kayuta
Where is...?	Где...?	gdⁱe...?
the swimming-pool	бассейн	basⁱeyn
the hairdresser's (barber's)	парикмахерская	parikmakhirskaya
the information office	бюро информации	bⁱuro infarmatsii
the cinema/movies	кинозал	kinazal
How do I get to the deck?	Как пройти на палубу?	kak prayti na palubu?
When is... served?	Когда...?	kagda...?
breakfast	завтрак	zaftrak
lunch	обед	abⁱet
dinner	ужин	uzhin
I get (I don't get) seasick	Я плохо (хорошо) переношу качку	ya plokha (kharasho) pirinashu kachku
Would you call a doctor? I am not feeling well	Позовите, пожалуйста, врача. Мне плохо	pazaviti, pazhalsta, vracha. mnⁱe plokha
Which port is this?	Как называется этот порт?	kak nazivaitsa etat port?
When will we reach the nearest port?	Когда мы заходим в ближайший порт?	kagda mi zakhodim v blizhayshiy port?
Can we go ashore?	Можно сойти на берег?	mozhna sayti na bⁱerik?
When do we sail?	Когда отплытие?	kagda atplitiye?

197

anchor	якорь	yakar^i
bows	нос корабля	nos karabl^{i}a
cabin	каюта	kayuta
captain	капитан	kapitan
captain's bridge	капитанский мостик	kapitanskiy mostik
calm	штиль	shtil^i
cinema/movies	кинозал	kinazal
cruise	морское путешествие	marskoye putishestviye
crew	экипаж	ekipash
deck	палуба	paluba
lower ~	нижняя ~	nizhniya ~
upper ~	верхняя ~	v^{i}erkhniya ~
promenade ~	прогулочная ~	pragulachnaya ~
sun-deck	солярий	sal^{i}ariy
deck chair	шезлонг	shizlonk
depart	отчаливать	atchalivat^i
disembark	сходить на берег	skhadit^i na b^{i}erik
embark	садиться на корабль	saditsa na karabl^i
enter a port	заходить в порт	zakhadit^i f port
gang-plank	трап, сходни	trap, skhodni
handrails	поручни	poruchni
hold	трюм	tr^{i}um
island	остров	ostraf
life-belt	спасательный пояс	spasatil^{i}niy pois
life boat	шлюпка	shl^{i}upka
life-buoy	спасательный круг	spasatil^{i}niy kruk
life-jacket	спасательный жилет	spasatil^{i}niy zhil^{i}et

lighthouse	маяк	mayak
make a cruise	совершить путеше-ствие	savirshit͡ putishestviye
navigator	штурман	shturman
passenger	пассажир	pasazhir
pier	пристань	pristan͡
pilot	лоцман	lotsman
port	порт	port
sea ~	морской ~	marskoy ~
river ~	речной ~	richnoy ~
porthole	иллюминатор	il͡uminatar
radiogram	радиограмма	radiagrama
restaurant	ресторан	ristaran
river	река	rika
rocking, rolling	качка	kachka
sailor	матрос, моряк	matros, mar͡ak
sauna	сауна	sauna
sea	море	mor͡e
seasickness	морская болезнь	marskaya ba-l͡ezn͡
ship's dining room	ресторан	ristaran
shore	берег	b͡erik
side	борт	bort
stern	корма	karma
storm	шторм	shtorm
wave	волна	valna
wind	ветер	v͡etir

AT THE BOR-DER

НА ГРАНИЦЕ

Travelling by rail or car, you must go through border and customs control at the border, by air—at the airport. Tourists visiting the USSR must know the customs regulations, indicating what is allowed to be brought in and taken out of the country, and what is not.

Taking Soviet currency out of the USSR is prohibited. You must keep the customs declaration form filled on entry into the country until the end of your stay in the Soviet Union.

PASSPORT CONTROL	ПАСПОРТНЫЙ КОНТРОЛЬ	
In this passport control?	Здесь паспортный контроль?	zd^{i}es^i paspartniy kantrol^{ii}?
Here is my passport	Вот мой паспорт	vot moy paspart
I have a diplomatic passport	У меня дипломатический паспорт	u min^{i}a diplamatichiskiy paspart
I have a transit (entry, exit) visa	У меня транзитная (въездная, выездная) виза	u min^{i}a tranzitnaya (vyiznaya, viiznaya) viza
The purpose of my trip is...	Цель моей поездки...	tsel^i mayey payestki...
business	деловая	dilavaya
personal visit	личная	lichnaya
tourism	туризм	turizm
I am going to...	Я еду...	ya yedu...
the USSR	в СССР	v es-es-es-er

France	во Францию	va frantsiyu
Japan	в Японию	v yiponiyu
China	в Китай	f kitay

| I am travelling with... | Со мной вместе едет... | sa mnoy vmⁱesti yedit... |

my wife	моя жена	maya zhina
my son	мой сын	moy sin
my daughter	моя дочь	maya doch

| I want to have my visa extended | Мне нужно продлить визу | mnⁱe nuzhna pradlitⁱ vizu |

| Where do I go to extend it? | Куда мне обратиться? | kuda mnⁱe abratitsa? |

| How do I call the British (American) Embassy (Consulate)? | Как позвонить в английское (американское) посольство (консульство)? | kak pazvanitⁱ v angliyskaye (amirikanskaye) pasolⁱstva (konsulⁱstva)? |

| I've come here by invitation | Я приехал(-а) по приглашению | ya priyekhal(-a) pa priglasheniyu |

| I am (We are) travelling by car | Я путешествую (Мы путешествуем) на машине | ya putishestvuyu (mi putishestvuim) na mashini |

| I have a Ford (Volvo) | У меня машина марки «Форд» («Вольво») | u minⁱa mashina marki ford (volⁱvo) |

| My car is registered in England | Мой автомобиль зарегистрирован в Англии | moy aftamabilⁱ zarigistriravan v anglii |

CUSTOMS

ТАМОЖЕННЫЙ КОНТРОЛЬ

| Where is the customs? | Где таможенный контроль? | gdⁱe tamozhiniy kantrolⁱ? |

| Would you help me to fill in the customs declaration, please | Помогите мне, пожалуйста, заполнить таможенную декларацию | pamagiti mnⁱe, pazhalsta, zapolnitⁱ tamozhinuyu diklaratsiyu |

Here is my luggage	Вот мои вещи	vot mai v'eshchi
These are my personal belongings	Это мои личные вещи	eta mai lichnii v'eshchi
I don't have any other luggage	Другого багажа у меня нет	drugova bagazha u min'a n'et
I have nothing to declare	У меня нет вещей, подлежащих обложению пошлиной	u min'a n'et vishchey, padlizh-ashchikh ablazhe-niyu poshlinay
How much duty do I have to pay?	Какую пошлину я должен (должна) уплатить?	kakuyu poshlinu ya dolzhin (dalzhna) uplatit'?
I have an import (export) licence for these goods	У меня есть лицензия на ввоз (вывоз) этих вещей	u min'a yest' litsenziya na vvos (vivas) etikh vi-shchey
I have no cash	У меня нет наличных денег	u min'a n'et nalichnikh d'enik
I have paid the duty	Я уплатил(-а) пошлину	ya uplatil(-a) poshlinu
Here is the receipt	Вот квитанция	vot kvitansiya
I have...	У меня...	u min'a...
a gold ring	золотое кольцо	zalatoye kal'tso
five hundred pounds	пятьсот фунтов	pitsot funtaf
I have no dollars on me	У меня нет долларов	u min'a n'et dollaraf
citizenship	гражданство	grazhdanstva
currency	валюта	val'uta
customs	таможня	tamozhn'a
customs declaration	таможенная декла-рация	tamozhinaya dikla-ratsiya
fill in a declaration	заполнить декла-рацию	zapolnit' diklara-tsiyu

AT THE BORDER
НА ГРАНИЦЕ

customs-house	таможня	tamozhn'a
customs inspection	таможенный досмотр	tamozhiniy dasmotr
customs office	таможенное управление	tamozhinaye upravl'eniye
customs officer	таможенник	tamozhinik
duration of one's stay	время пребывания	vr'em'a pribivaniya
duty	пошлина	poshlina
impose a ~	взимать пошлину	vzimat' poshlinu
pay a ~	платить пошлину	platit' poshlinu
duty free	беспошлинно	bisposhlinna
form	формуляр	farmul'ar
invitation	приглашение	priglasheniye
luggage	багаж	bagash
passport	паспорт	paspart
purpose of the trip	цель поездки	tsel' payestki
trip	поездка	payestka
business ~	деловая ~, командировка	dilavaya ~, kamandirofka
tourist ~	туристическая ~	turistichiskaya ~
visa	виза	viza
transit ~	транзитная ~	tranzitnaya ~
entry ~	въездная ~	vyiznaya ~
exit ~	выездная ~	viiznaya ~

TIME. DATES   ВРЕМЯ. ДАТЫ

WORDS

a second	секунда	sikunda
a minute	минута	minuta
an hour	час	chas
half an hour	полчаса	polchisa
a day (*24 hours*)	сутки	sutki
morning	утро	utra
day	день	den^i
noon	полдень	poldin^i
evening	вечер	v^iechir
night	ночь	noch
a week	неделя	nid^iel^ia
a month	месяц	m^iesits
a year	год	got
a century	век	v^iek

PHRASES

Don't be late	Не опаздывайте	ni apazdivayti
I'll be in time	Я буду вовремя	ya budu vovrim^ia
I have no time	У меня нет времени	u min^ia n^iet vr^iemini
I am in a hurry	Я тороплюсь	ya tarapl^ius^i

204

Days of the Week — Дни недели

Monday	понедельник	panid'el'nik
Tuesday	вторник	ftornik
Wednesday	среда	srid**a**
Thursday	четверг	chitv'erk
Friday	пятница	p'**a**tnitsa
Saturday	суббота	subota
Sunday	воскресенье	vaskris'en'ye

Months — Месяцы

January	январь	yinvar'
February	февраль	fivral'
March	март	mart
April	апрель	apr'el'
May	май	may
June	июнь	iyun'
July	июль	iyul'
August	август	**a**vgust
September	сентябрь	sint'abr'
October	октябрь	akt'abr'
November	ноябрь	nayabr'
December	декабрь	dikabr'

Seasons of the Year — Времена года

winter	зима	zim**a**
spring	весна	visn**a**
summer	лето	l'**e**ta

PHRASES

autumn	осень	osin^i
What is the time?	Который час?	katoriy chas?
Eight in the morning (evening)	Восемь часов утра (вечера)	vosim^i chisof utra (v^{i}echira)
Four o'clock p.m.	Четыре часа дня	chitiri chisa dn^{i}a
Half past one	Половина второго	palavina ftarova
Five minutes (A quarter) to five	Без пяти (Без четверти) пять	bis piti (bis chetvirti) p^{i}at^i
Nearly two o'clock	Скоро два	skora dva
My watch is slow (fast)	Мои часы отстают (спешат)	mai chisi atstayut (spishat)
Is your watch accurate?	Ваши часы ходят точно?	vashi chisi khod^{i}at tochna?
Could you tell me the exact time, please	Скажите, пожалуйста, точное время	skazhiti, pazhalsta, tochnaye vr^{i}em^{i}a
What day is it today?	Какой сегодня день?	kakoy sivodn^{i}a d^{i}en^i?
Today is...	Сегодня ...	sivodn^{i}a...
Monday	понедельник	panid^{i}el^{i}nik
Tuesday	вторник	ftornik
Sunday	воскресенье	vaskris^{i}en^{i}ye
What's the date today?	Какое сегодня число?	kakoye sivodn^{i}a chislo?
Today is May 5	Сегодня пятое мая	sivodn^{i}a p^{i}ataye maya
[At] what time?	Во сколько?	va skol^{i}ka?
At seven [o'clock] in the evening	В семь часов вечера	f s^{i}em^i chisof v^{i}echira
Just after three	В начале четвёртого	v nachali chitv^{i}ortava
How soon?	Как скоро?	kak skora?
In two hours	Через два часа	chiriz dva chisa
In two days	Через два дня	chiriz dva dn^{i}a

206

In a week	Через неделю	chiriz nid'el'u
When?	Когда?	kagda?
in the morning	утром	utram
during the day	в течение дня	f tichenii dn'a
by day	днём	dn'om
at noon	в полдень	f poldin'
in the afternoon	после полудня, днём	posli paludn'a, dn'om
in the evening	вечером	v'echiram
at night	ночью	nochyu
at midnight	в полночь	f polnach
today	сегодня	sivodn'a
yesterday	вчера	fchira
the day before yesterday	позавчера	pazafchira
tomorrow	завтра	zaftra
the day after tomorrow	послезавтра	poslizaftra
on Saturday	в субботу	f subotu
in April	в апреле	v apr'eli
in winter	зимой	zimoy
in 1980	в 1980 году	f tisicha divitsot vas'midis'atam gadu
this (last) year	в этом (в прошлом) году	v etam (f proshlam) gadu
a year ago	год назад	got nazat

WEATHER   ПОГОДА

What is the weather like today?	Какая сегодня погода?	kakaya sivodn[i]a pagoda?
It is... today	Сегодня...	sivodn[i]a...
close/sultry	душно	dushna
windy	ветрено	v[i]etrina
warm	тепло	tiplo
hot	жарко	zharka
cloudy	облачно	oblachna
wet	сыро	sira
cold	холодно	kholadna
The weather is...	Погода...	pagoda...
wonderful	прекрасная	prikrasnaya
very good	хорошая	kharoshaya
bad	плохая	plakhaya
sunny	солнечная	solnichnaya
It is raining (snowing)	Идёт дождь (снег)	id[i]ot dosht[i] (sn[i]ek)
It is very windy	Сильный ветер	sil[i]niy v[i]etir
It is very humid today	Сегодня большая влажность [воздуха]	sivodn[i]a bal[i]shaya vlazhnast[i] [vozdukha]
What is the barometer reading today?	Какое сегодня [атмосферное] давление?	kakoye sivodn[i]a [atmasf[i]ernaye] davl[i]eniye?

WEATHER
ПОГОДА

What is the temperature of the water (the air) today?	Какая сегодня температура воды (воздуха)?	kakaya sivodnⁱa timpiratura vadi (vozdukha)?
Do you know the weather forecast for tomorrow?	Вы не знаете прогноз погоды на завтра?	vɨ ni znaiti pragnos pagodɨ na zaftra?
How many days of sunshine a year do you get in your country?	Сколько у вас солнечных дней в году?	skolⁱka u vas solnichnikh dnⁱey v gadu?
What is the coldest (warmest) month in your country?	Какой у вас самый холодный (тёплый) месяц?	kakoy u vas samiy khalodnɨy (tⁱopliy) mⁱesits?
atmospheric pressure	атмосферное давление	atmasfⁱernaye davlⁱeniye
fog	туман	tuman
frost	мороз	maros
heat	жара	zhara
humidity	влажность	vlazhnastⁱ
rain	дождь	doshtⁱ
snow	снег	snⁱek
sun	солнце	sontse
temperature	температура	timpiratura
warm	тепло	tiplo
weather forecast	прогноз погоды	pragnos pagodɨ
wind	ветер	vⁱetir

EVERYDAY WORDS AND EXPRESSIONS

ПОВСЕДНЕВНЫЕ СЛОВА И ВЫРАЖЕНИЯ

ADDRESS

ОБРАЩЕНИЕ

Comrade...	Товарищ...	tavarishch...
Comrades!	Товарищи!	tavarishchi!
Esteemed colleagues!	Уважаемые коллеги!	uvazhaimii kal'egi!
Dear friend!	Дорогой друг!	daragoy druk!
My friends!	Дорогие друзья!	daragii druz'ya!
Mr. Chairman!	Господин председатель!	gaspadin pritsidatil'!
Ladies and gentlemen!	Уважаемые дамы и господа!	uvazhaimii dami i gaspada!
Dear guests!	Уважаемые гости!	uvazhaimii gosti!
Excuse me please, could you tell me...	Извините, пожалуйста, вы не скажете...	izviniti, pazhalsta, vi ni skazhiti...

GREETINGS

ПРИВЕТСТВИЕ. ПРОЩАНИЕ

How do you do!	Здравствуйте!	zdrastvuyti!
Good morning!	Доброе утро!	dobraye utra!
Good afternoon!	Добрый день!	dobriy d'en'!
Good evening!	Добрый вечер!	dobriy v'echir!
Hello/Hi!	Привет!	priv'et!

Welcome!	Добро пожаловать!	dabro pazhalavat¹!
How are you?	Как поживаете? (*as a greeting*)	kak pazhivaiti?
	Как вы себя чувствуете? (*if the person has been unwell*)	kak vi sib¹a chustvuiti?
How are things?	Как дела?	kak dila?
I am so glad to see you	Как я рад (рада) вас видеть	kak ya rat (rada) vas vidit¹
Buy-buy!	Пока!	paka!
So long!	До свидания! (Пока!)	da svidaniya! (paka!)
See you soon!	До скорой встречи!	da skoray fstr¹echi!
Good buy!	До свидания!	da svidaniya!
Good luck!	Счастливо!	shchisliva!
Bon voyage!	Счастливого пути!	shchislivava puti!
All the best!	Всего самого хорошего!	fsivo samava kharoshiva!
Say hello to everybody!	Передавайте всем привет!	piridavayti fs¹em priv¹et!

GRATITUDE БЛАГОДАРНОСТЬ

Thanks!	Спасибо!	spasiba!
Thanks a lot, thank you very much	Большое спасибо!	bal¹shoye spasiba!
Thank you!	Благодарю вас!	blagadar¹u vas!
I am very grateful to you!	Я вам очень благодарен (благодарна)!	ya vam ochin¹ blagadarin (blagadarna)!
Much obliged!	Я вам очень признателен (признательна)	ya vam ochin¹ priznatilin (priznatil¹na)!

◆ PHRASES

211

Thanks for...	Спасибо за...	spasiba za...
your help	помощь	pomashch
your invitation	приглашение	priglasheniye
your attention	внимание	vnimaniye
your advice	совет	sav[i]et
the congratulations	поздравление	pazdravl[i]eniye
the warm reception	тёплый приём	t[i]opliy priyom
your hospitality	гостеприимство	gastipriimstva
the favour	услугу	uslugu

REQUESTS — **ПРОСЬБА**

May I...?	Можно...?	mozhna...?
Could I please...	Разрешите...	razrishiti...
May I come in?	Можно войти?	mozhna vayti?
Could you please give me...	Дайте мне, пожалуйста...	dayti mn[i]e, pazhalsta...
Would you please...	Пожалуйста...	pazhalsta...
repeat	повторите	paftariti
show me that	покажите это	pakazhiti eta
Would you be so kind as to...	Будьте добры...	butti dabri...
wait for me	подождите меня	padazhditi min[i]a
wake me up	разбудите меня	razbuditi min[i]a
accompany me	проводите меня	pravaditi min[i]a
Could you help me, please?	Вы не могли бы мне помочь?	vi ni magli bi mn[i]e pamoch?
May I see...?	Могу ли я видеть...?	magu li ya vidit[i]...?

INVITATIONS — **ПРИГЛАШЕНИЕ**

I would like to invite you...	Разрешите пригласить вас...	razrishiti priglasit[i] vas...

PHRASES

to the theatre	в театр	f tiatr
to the cinema/movies	в кино	f kino
to the concert	на концерт	na kantsert
to a birthday party	на день рождения	na d'en' razhd'eniya
Come in, please	Входите, пожалуйста	fkhaditi, pazhalsta
Take a seat, please	Садитесь, пожалуйста	saditis', pazhalsta
Come to see us again	Приходите к нам ещё	prikhaditi k nam yishcho

AGREEMENT. REFUSAL
СОГЛАСИЕ. ОТКАЗ

Agreed	Я согласен (согласна)	ya saglasin (saglasna)
Good. OK	Хорошо	kharasho
Yes, of course	Да, конечно	da, kan'eshnn
May be	Может быть	mozhit bit'
Fine!	Прекрасно!	prikrasna!
With pleasure!	С удовольствием!	s udavol'stviyem!
Definitely!	Несомненно!	nisamn'enna!
You are right	Вы правы	vi pravi
That's right	Совершенно верно!	savirshenna v'erna!
No	Нет	n'et
I am afraid I can't	К сожалению, не могу	k sazhil'eniyu, ni magu
I don't fancy it/I don't feel like it	Я не хочу/Мне не хочется	ya ni khachu/mn'e ni khochitsa
No, I won't	Я отказываюсь	ya atkazivayus'

PHRASES

213

PHRASES ◆

| I don't agree with it | Я не согласен (не согласна) | ya ni saglasin (ni saglasna) |
| You are mistaken | Вы ошибаетесь | vɨ ashɨbaitis[i] |

EXPRESSIONS OF APOLOGY

СОЖАЛЕНИЕ, ИЗВИНЕНИЕ

I am very sorry	Мне очень жаль	mn[i]e ochin[i] zhal[i]
It is such a pity that...	Как жаль, что...	kak zhal[i], shto...
I am extremely sorry	Я очень огорчён (огорчена)	ya ochin[i] agarchon (agarchina)
You have my sympathies	Я вам сочувствую	ya vam sachustvuyu
I am very, very sorry about it	Я очень сожалею о случившемся	ya ochin[i] sazhi-l[i]eyu a sluchif-shims[i]a
Excuse me, please	Извините/Простите, пожалуйста	izviniti (prastiti), pazhalsta
I am sorry to interrupt you	Извините, что я вас прерываю	isviniti, shto ya vas pririvayu
I am sorry to disturb you	Извините за беспокойство	izviniti za bispa-koystva
I beg your pardon	Прошу прощения	prashu prashcheniya
Don't be angry	Не сердитесь	ni sirditis[i]
Don't be offended	Не обижайтесь	ni abizhaytis[i]
It is not my fault	Это не моя вина	eta ni maya vina

CONGRATULATIONS

ПОЗДРАВЛЕНИЯ

| Many happy returns of the day | Поздравляю с днём рождения | pazdravl[i]ayu z dn[i]om ra-zhd[i]eniya |
| Best wishes! | Поздравляю с праздником! | pazdravl[i]ayu s praznikam! |

EVERYDAY WORDS AND EXPRESSIONS
ПОВСЕДНЕВНЫЕ СЛОВА И ВЫРАЖЕНИЯ

Happy New Year!	С Новым годом!	s novim godam!
I wish you...	Желаю...	zhilayu...
success	успеха	usp'ekha
luck	удачи	udachi
happiness	счастья	shchast'ya
(good) health	здоровья	zdarov'ya
all the best	всего хорошего	fsivo kharoshiva

COLOURS

ЦВЕТА

WORDS

•

black	чёрный	chorniy
blue	синий	siniy
brown	коричневый	karichniviy
dark	тёмный	tⁱomniy
green	зелёный	zilⁱoniy
grey	серый	sⁱeriy
light	светлый	svⁱetliy
multicoloured	пёстрый	pⁱostriy
orange	оранжевый	aranzhiviy
pink	розовый	rozaviy
red	красный	krasniy
sky-blue	голубой	galuboy
violet	фиолетовый	fialⁱetaviy
white	белый	bⁱeliy
wine-coloured	бордо, бордовый	bardo, bardoviy
yellow	жёлтый	zholtiy

• WORDS

PERSONAL PRO-NOUNS	ЛИЧНЫЕ МЕ-СТОИМЕНИЯ	
I	Я	ya
you	ты (*familiar*)	ti
	вы (*polite form of address*)	vi
he	он	on
she	она	ana
it	оно	ano
we	мы	mi
you	вы	vi
they	они	ani

NUMERALS	ЧИСЛИТЕЛЬ-НЫЕ	
How much?	Сколько?	skol'ka
zero	ноль	nol'
one	один	adin
two	два	dva
three	три	tri
four	четыре	chitiri
five	пять	p'at'
six	шесть	shest'
seven	семь	s'em'
eight	восемь	vosim'
nine	девять	d'evit'
ten	десять	d'esit'
eleven	одиннадцать	adinatsat'
twelve	двенадцать	dvinatsat'
thirteen	тринадцать	trinatsat'
fourteen	четырнадцать	chitirnatsat'

fifteen	пятнадцать	pitnatsat[i]
sixteen	шестнадцать	shisnatsat[i]
seventeen	семнадцать	simnatsat[i]
eighteen	восемнадцать	vasimnatsat[i]
nineteen	девятнадцать	divitnatsat[i]
twenty	двадцать	dvatsat[i]
twenty one	двадцать один	dvatsat[i] adin
twenty two	двадцать два	dvatsàt[i] dva
thirty	тридцать	tritsat[i]
forty	сорок	sorak
fifty	пятьдесят	piddis[i]at
sixty	шестьдесят	shizdis[i]at
seventy	семьдесят	s[i]em[i]dis[i]at
eighty	восемьдесят	vosim[i]dis[i]at
ninety	девяносто	divinosta
one hundred	сто	sto
two hundred	двести	dv[i]esti
three hundred	триста	trista
four hundred	четыреста	chitirista
five hundred	пятьсот	pitsot
six hundred	шестьсот	shissot
seven hundred	семьсот	simsot
eight hundred	восемьсот	vasimsot
nine hundred	девятьсот	divitsot
one thousand	тысяча	tisicha
ten thousand	десять тысяч	d[i]esit[i] tisich
one hundred thousand	сто тысяч	sto tisich
one million	миллион	milion

218

one half	одна вторая, половина	adna ftaraya, palavina
two-thirds	две трети	dv'e tr'eti
three-quarters	три четверти	tri chetvirti
one-fifth	одна пятая	adna p'ataya
twice	вдвое	vdvoye
three times	втрое	ftroye
four times	вчетверо	fchetvira
one per cent	один процент	adin pratsent
half a per cent	полпроцента	polpratsenta
four and a half per cent	четыре с половиной процента	chitiri s palavinay pratsenta
one hundred per cent	сто процентов	sto pratsentaf
a pair	пара	para
half a dozen	полдюжины	pold'uzhini
a dozen	дюжина	d'uzhina
ten	десяток	dis'atak
a score	двадцать	dvatsat'
a hundred	сотня	sotn'a

SIGNS	**НАДПИСИ И ВЫВЕСКИ**
АДМИНИСТРАТОР	RECEPTIONIST
АПТЕКА	CHEMIST'S/PHARMACY
БЛИННАЯ	PAN-CAKES/PANCAKE PARLOUR
БОЛЬНИЦА	HOSPITAL
БУЛОЧНАЯ-КОНДИТЕРСКАЯ	BAKERY AND CONFECTIONERY'S

БУФЕТ	REFRESHMENTS; CAFÉ
ВХОД ВОСПРЕЩЁН	NO ENTRY/NO ADMITTANCE
ВЫХОД	EXIT
ГАСТРОНОМ	GROCERIES
ДИЕТИЧЕСКАЯ СТОЛОВАЯ	DIETRY "STOLOVAYA" /DIET CAFETERIA
ЗАКУСОЧНАЯ	SNACK-BAR
ЗАПАСНЫЙ ВЫХОД	EMERGENCY EXIT
КАФЕ	CAFÉ
КИНОТЕАТР	CINEMA/MOVIES, MOTION PICTURE THEATRE
КУЛИНАРИЯ	DELICATESSEN
КУПАТЬСЯ ЗАПРЕЩЕНО!	NO BATHING
КУРИТЕЛЬНАЯ КОМНАТА	SMOKING-ROOM (*smoking is prohibited in public places*)
КУРИТЬ ВОСПРЕЩАЕТСЯ!	NO SMOKING
МЕЖДУГОРОДНЫЙ ТЕЛЕФОН	INLAND TELEPHONE/ LONG DISTANCE TELEPHONE
МОЛОКО	DAIRY
МОРОЖЕНОЕ	ICE-CREAM PARLOUR
ОВОЩИ—ФРУКТЫ	GREEN GROCER'S; FRUIT AND VEGETABLES
ОСТОРОЖНО, ОКРАШЕНО!	WET PAINT!
ПАРИКМАХЕРСКАЯ	HAIRDRESSER'S
ПОЛИКЛИНИКА	OUT-PATIENTS' CLINIC
ПОЧТА	POST OFFICE
ПРОДУКТЫ	FOOD SHOP

РЕМОНТ ОБУВИ	SHOE REPAIRS
РЕМОНТ ЧАСОВ	WATCH REPAIRS
РЕСТОРАН	RESTAURANT
РУКАМИ НЕ ТРОГАТЬ	PLEASE DO NOT TOUCH
СБЕРЕГАТЕЛЬНЫЙ БАНК	SAVINGS BANK
СЛУЖЕБНЫЙ ВХОД	SERVICE ENTRANCE
СОЮЗПЕЧАТЬ	NEWS AGENTS/NEWS-STAND
СТОЛОВАЯ	"STOLOVAYA" (*type of public canteen/diner, cafeteria*)
ТЕАТР	THEATRE
ТЕЛЕГРАФ	TELEGRAPH
ТЕЛЕФОН	TELEPHONE
ТРАВМАТОЛОГИЧЕ-СКИЙ ПУНКТ	CASUALTY
УНИВЕРМАГ	DEPARTMENT STORE
УНИВЕРСАМ	SUPERMARKET
ФОТОГРАФИРОВАТЬ ЗА-ПРЕЩЕНО	DO NOT TAKE PICTURES
ФОТОГРАФИЯ	PHOTOGRAPHER'S
ШАШЛЫЧНАЯ	KEBAB HOUSE

SOVIET REPUBLICS. NATIONALITIES

СОВЕТСКИЕ РЕСПУБЛИКИ. НАЦИОНАЛЬНОСТИ

The Russian Soviet Federative Socialist Republic (cap. Moscow)

Российская Советская Федеративная Социалистическая Республика (г. Москва)

The Ukraine. The Ukrainian Soviet Socialist Republic (cap. Kiev)

Украина. Украинская Советская Социалистическая Республика (г. Киев)

Byelorussia. The Byelorussian Soviet Socialist Republic (cap. Minsk)

Белоруссия. Белорусская Советская Социалистическая Республика (г. Минск)

INFORMATION

Uzbekistan. The Uzbek Soviet Socialist Republic (cap. Tashkent)

Узбекистан. Узбекская Советская Социалистическая Республика (г. Ташкент)

Kazakhstan. The Kazakh Soviet Socialist Republic (cap. Alma-Ata)

Казахстан. Казахская Советская Социалистическая Республика (г. Алма-Ата)

Georgia. The Georgian Soviet Socialist Republic (cap. Tbilisi)

Грузия. Грузинская Советская Социалистическая Республика (г. Тбилиси)

Azerbaijan. The Azerbaijan Soviet Socialist Republic (cap. Baku)

Азербайджан. Азербайджанская Советская Социалистическая Республика (г. Баку)

Lithuania. The Lithuanian Soviet Socialist Republic (cap. Vilnius)

Литва. Литовская Советская Социалистическая Республика (г. Вильнюс)

Moldavia. The Moldavian Soviet Socialist Republic (cap. Kishinev)

Молдавия. Молдавская Советская Социалистическая Республика (г. Кишинёв)

Latvia. The Latvian Soviet Socialist Republic (cap. Riga)

Латвия. Латвийская Советская Социалистическая Республика (г. Рига)

Kirghizia. The Kirghiz Soviet Socialist Republic (cap. Frunze)

Киргизия. Киргизская Советская Социалистическая Республика (г. Фрунзе)

Tajikistan. The Tajik Soviet Socialist Republic (cap. Dyushambe)

Таджикистан. Таджикская Советская Социалистическая Республика (г. Душанбе)

Armenia. The Armenian Soviet Socialist Republic (cap. Yerevan)

Армения. Армянская Советская Социалистическая Республика (г. Ереван)

Turkmenistan. The Turkmen Soviet Socialist Republic (cap. Ashkhabad)

Туркменистан. Туркменская Советская Социалистическая Республика (г. Ашхабад)

Estonia. The Estonian Soviet Socialist Republic (cap. Tallinn)

Эстония. Эстонская Советская Социалистическая Республика (г. Таллинн)

a Russian	русский (русская)
a Ukrainian	украинец (украинка)
a Byelorussian	белорус (белоруска)
an Uzbek	узбек (узбечка)
a Kazakh	казах (казашка)
a Georgian	грузин (грузинка)
an Azerbaijanian	азербайджанец (азербай-джанка)
a Lithuanian	литовец (литовка)
a Moldavian	молдаванин (молдаванка)
a Latvian	латыш (латышка)
a Kirghiz	киргиз (киргизка)
a Tajik	таджик (таджичка)
an Armenian	армянин (армянка)
a Turkmenian	туркмен (туркменка)
an Estonian	эстонец (эстонка)

RUSSIAN-ENGLISH DICTIONARY

РУССКО-АНГЛИЙСКИЙ СЛОВАРЬ

Abbreviations and Field Labels

etc.	et cetera	*Med*	Medicine
f	feminine	*smb*	somebody
m	masculine	*smth*	something
Math	Mathematics		

А

аварийный emergency (*as, emergency exit*)

авария accident, crash, breakdown

август August

авиация aviation

автограф autograph

автомат slot (vending, gambling) machine, public (pay) phone

автоматизация automation

автоматика automation technology

автомобилист motorist

автомобиль car; **легковой** ~ (passenger) car; **грузовой** ~ lorry/truck

автономный autonomous

автор author

авторитет authority; respect

автотурист motor tourist

агентство agency

агроном agronomist

агропромышленный комплекс agro-industrial complex

адвокат lawyer

адрес address

адресат addressee

Академия наук СССР the USSR Academy of Sciences

акклиматизация acclimatization

акклиматизироваться to get acclimatized

акробат acrobat

акт act (*theatre*); document, (legal) report

актёр actor

активный active

актриса actress

актуальный relevant, important, valid, topical

аллергия allergy
алфавит alphabet
альбом album, art book, book of art reproductions
амфитеатр pit/orchestra circle, parquet circle
анализ analysis, test (*Med*)
анализировать to analyze
ангина sore throat
анкета questionnaire, form
ансамбль ensemble, (pop) group
антивоенный anti-war
антиимпериалистический anti-imperialist
антиколониальный anti-colonial
антифашистский anti-fascist
античный antique, ancient
антракт interval/intermission
аплодировать to applaud
аппендицит appendicitis
аппетит appetite
апрель April
аптека Chemist's/Pharmacy
армия army
артист actor, musician, singer, performer
артистка actress
архив archives
архитектор architect
архитектура architecture
атеист atheist
атлас atlas
атмосфера atmosphere
атом atom
атомный atomic
аттракционы attractions (at a fairground/an amusement park)
аудитория lecture-hall; audience
афиша poster

аэровокзал air terminal
аэродром airfield
аэропорт airport

Б

багаж luggage/baggage
бакалея grocery
балерина ballerina
балет ballet
балетмейстер choreographer
балкон balcony
бандероль paper parcel
банк bank
банкет banquet
баня (steam) baths
бар bar
барабан drum
бассейн water-pool; плавательный ~ swimming-pool
батарейка battery (*for watch, radio etc.*)
батон French loaf
безвозмездно gratis, free, without compensation
безопасность security, safety
безопасный secure, safe
бельё underwear; постельное ~ linen
бельэтаж dress-circle
берег shore, bank
беседа conversation, talk
беседовать to talk
беспартийный belonging to no party
бесплатный free of charge
беспосадочный перелёт non-stop flight
беспошлинный duty-free
бессонница insomnia
библиотека library
билет ticket
бинокль binoculars

бинт bandage
благодарить to thank
благодарность gratitude
бланк form
ближайший closest, nearest
ближе closer
близкий close (*as, a close friend*)
близорукий   short-sighted/ nearsighted
блокнот writing pad
болезнь disease
болельщик sports fan
болеть to be ill; to be a fan of (sports)
боль pain
больница hospital
большинство the majority
большой big, large
бортпроводница   air-hostess, stuardess
борьба fight, struggle
брат brother
бригада brigade, work-team, crew
бригадный подряд contract, team contract
бритва razor
бриться to shave
бронза bronze
бронзовый bronze (*as, a bronze plaque*)
бронировать to book (*reserve*)
будильник alarm-clock
будить to wake *smb* up
будни week-days, routine
будущий future
буква letter
букет bouquet
букинистический магазин second hand book-shop
булка roll, bun
булочная baker's
бульвар boulevard

бумага paper
бумажник wallet
бутылка bottle
буфет refreshment bar
быстрый quick
бюджет budget
бюро bureau

В

вагон carriage/car (*railway*)
валюта currency
ванная bath-room
вата   cotton-wool/(absorbent) cotton
вверх up
вверху above
вдруг suddenly
вегетарианец vegetarian *n*
вегетарианский vegetarian (*as, vegetarian food*)
вежливый polite
век century
величина size; quantity; value (*Math*)
вероисповедание faith
верующий believer in God
верхний upper
Верховный Совет СССР the Supreme Soviet of the USSR
вес weight
весенний spring (*as, a spring day*)
весна spring
вестибюль entrance-hall, lobby
ветеран veteran
вечер evening
вечерний evening (*as, an evening party*)
вещь thing
взвешивать to weigh
взлёт take off (*about a plane*)

взлетать to take off (*about a plane*)
видеокассета videocassette
видеомагнитофон videorecorder
видеофильм videofilm
видеть to see
виза visa
визит visit
вино wine
витраж stained glass panel, window
витрина shop-window, showcase
вице-президент vice-president
включить to switch on
вкус taste
вкусный delicious
владелец owner
власть power
внешний outer
вниз down
внизу downstairs
внимание attention
внутренний inner
вовремя in time
вода water
возвращать to give back
возвращаться to go back, come back
возможность possibility, chance
возражать to object
возражение objection
возраст age
война war
вооружение arms, arsenals
вопрос question, problem
воскресенье Sunday
воспаление inflammation
воспитание education
восток East
восторг delight

восточный eastern
впервые for the first time
вперёд forward
впечатление impression
врач doctor
вредный harmful
время time
все everybody
всё everything
всегда always
всемирный world, worldwide
встреча meeting
встречать to meet
вторник Tuesday
вход entrance
входить to enter
вчера yesterday
въезд entrance, entry
выбирать to choose
выбор choice
выборы elections, balloting
вывеска sign
выезд departure, exit
выздоровление convalescence
выключить to switch off
выпускник graduate
высокий high, tall
выставка exhibition
выставлять to exhibit
выступление speech; performance
выход exit
выходить to go out
выходной день day off

Г

газета newspaper
галантерея haberdashery/notions
галерея gallery
гарантия guarantee

гастроли tour, guest perform-ance
герб coat of arms
герой hero
гид guide
гимн national anthem
главный main, major
гладить to iron
гласность glasnost, openness
говорить to speak
год year
голос voice
голосовать to vote (for)
горе grief
город town, city
городской urban, municipal
господин Mr.
госпожа Mrs., Miss, Madame
гостеприимство hospitality
гостиница hotel
гость guest, visitor
государственный state (*as, state service*)
государство state
готовый ready
гравюра engraving, etching
гражданин *m* citizen
гражданка *f* citizen
гражданский civil, civic
гражданство citizenship
грампластинка gramophone record, disc
граница border, frontier
грипп influenza, flu
гуманитарный humanitarian; pertaining to the humanities; **гуманитарное образование** Arts/Liberal Arts education
гуманный humane

Д
да yes

даже even
далеко far
дальше further
дата date
дворец palace
девочка girl (*child*)
девушка girl (*teenager, young woman*)
дежурный person on duty
действие action, act
действительный true, valid
декабрь December
декорация scenery, sets
делегат delegate
делегация delegation
демографический demographic
демократия democracy
демонстрировать (фильм) to show (a film)
день day
деньги money
депутат deputy (*of the Supreme Soviet, etc.*)
деревня village
дети children
детский child's, children's, childish
дешёвый inexpensive
деятель public figure
деятельность activity, work
джаз jazz
диагноз diagnosis
диапозитив slide, transparency
диван sofa
диета diet
дизайн design
диплом diploma
дирижёр (orchestra) conductor
дирижировать to conduct (an orchestra)
дискотека discotheque
дискуссия discussion
дисциплина discipline

дневной спектакль matinée
добавочный additional
договор agreement, contract
дождь rain
доклад paper, speech, report
докладчик speaker
доктор doctor
документ document, material, paper
документальный documentary
дом house
дорога road
дорогой expensive, dear
дорожный travelling
достижение achievement
досуг leisure
дочь daughter
древнерусский Old Russian
древний ancient
другой other, another; different
дружба friendship
дублированный a dubbed film
духи perfume
душ shower
дуэт duet

Е

единица unit
единогласно unanimously
единственный the only one
ежегодный annual
ежедневный daily
ежемесячный monthly
еженедельник a weekly
еженедельный weekly
есть, питаться to eat

Ж

жаркий hot
жаропонижающее medicine to reduce fever

ждать to wait *for smb, smth*
желание wish, desire
железная дорога railway
железнодорожный railway (*as, railway station*)
жена wife
женщина woman
живописный picturesque
живопись painting
жизнь life
жилищный housing (*as, housing problem*)
житель dweller
жить to live
журнал journal, magazine
журналист journalist, reporter
жюри jury

З

заблудиться to lose one's way
заболеть to fall ill
забывать to forget
зависимость dependence
завод plant
завтра tomorrow
завтрак breakfast, lunch
завтракать to have breakfast, lunch
загорать to sunbathe
задание assignment
заинтересованность interest, incentive
заинтересованный interested, having an incentive
заказ order
заказное письмо registered letter
заказывать to book/order
закон law
закуска hors d'oeuvre
зал hall
замена substitute

заменять to change, replace, substitute for
заместитель deputy (*as, deputy chairman*)
заочный extra-mural, correspondence
запад West
западноевропейский West-European
западный western
записка note
записывать to note, record, write down
заполнять to fill in
запоминать to remember
запрещать to forbid
запрещение prohibition
запрещённый forbidden
зарабатывать to earn
зарплата pay, earnings, wages
зарубежный foreign
заседание session
заявлять (в таможенной декларации) to declare (in a customs declaration)
звонить (по телефону) to call, phone
здание building
здесь here
здороваться to greet
здоровый healthy
здоровье health
Земля Earth
зима winter
зимний winter (*as, a winter day*)
знакомить to introduce
знакомиться to get acquainted
знакомство acquaintance
знаменитый famous
знание knowledge
знать to know
значение meaning
значок badge

золото gold
золотой gold (*as, a gold ring*)
зонт(ик) umbrella
зоопарк zoo
зрение eye-sight
зритель spectator, audience

И

играть play
игрушка toy
идеология ideology
идти to go
известие news
известный well-known
извинение apology
извиняться to apologize
издание edition, publication
изучать to study
икона icon
иконописец icon painter
иметь to have
иметься to be available
империализм imperialism
империалистический imperialistic
имя (person's) name
индустрия industry
инженер engineer
иностранец *m* foreigner
иностранка *f* foreigner
иностранный foreign
институт institute, college, university; institution
интерес interest, incentive
интересный interesting
интересовать(ся) to be interested
информатика information science, information theory
информация information; news item
искусственный artificial

искусство art
использование usage
использовать to use
история history
июль July
июнь June

Й

йод iodine
йодная настойка (tincture of) iodine

К

календарь calendar
камера хранения left-luggage office/checkroom
кампания campaign
кандидат candidate
кандидатура candidacy
каникулы (school) holidays, vacation
капитализм capitalism
капиталистический capitalist (*as, capitalist nations*)
карикатура caricature, cartoon
карта map
картина picture
касса cash desk, ticket office; box office; coin-box
кассета cassette
кассир cashier
каталог catalogue
катастрофа catastrophy
катер motor boat
католик Catholic
кафе café
кафетерий coffee bar
качество quality
квартира flat/apartment
квартплата house rent
квитанция receipt

килограмм kilogram
километр kilometer
киноактёр film actor
киноактриса film actress
киножурнал newsreel and short subjects
кинокомедия comedy film
кинооператор camera man
кинорежиссёр film director
киностудия film studio
кинотеатр cinema/movie theater
кинофестиваль film festival
кинофильм film/movie
кинохроника topical film, news-reel
киоск newsstand
кладбище cemetery
класс class
классический classic(al)
классовый class (*as, class struggle*)
клуб club (house)/, community centre
ключ key
книга book
книжный bookish, book
ковёр carpet
код code
коллекционер collector
коллекция collection
колхоз collective farm
колхозник *m* collective farm worker
колхозница *f* collective farm worker
комитет committee
коммунизм communism
коммунист Communist
коммунистический Communist (*as, a Communist party*)
коммюнике communiqué
комната room

компартия, коммунистическая партия Communist Party
комплекс complex
комплект set
композитор composer
компьютер computer
комсомол Komsomol
комсомолец *m* Komsomol member
комсомолка *f* Komsomol member
комсомольский Komsomol (*as, a Komsomol membership card*)
конверт envelope
конгресс congress
кондиционер conditioner
конец end
конкурс competition
Конституция СССР the Constitution of the USSR
консул consul
консульство consulate
контроль control, supervision, monitoring, verification
конференц-зал conference-hall
конференция conference
концерт concert
концертный concert (*as, a concert hall*)
коньяк cognac, brandy
кооператив co-operative society
корреспондент correspondent
космический outer space (*as, an outer space flight*)
космодром launching site, pad
космонавт cosmonaut, astronaut
космонавтика astronautics
космос outer space
кредит credit
кризис crisis

критика criticism
культура culture
купе compartment (*in a sleeper*)
купейный (вагон) sleeper
курить to smoke
курорт spa, resort
курс course, policy
кухня kitchen

Л

лагерь camp
лазер laser
лазерный laser (*as, a laser ray*)
лампочка bulb
латинский Latin
лауреат Laureate
левый left
лёгкий light
лежать lie
лектор lecturer
лекция lecture
ленинизм Leninism
ленинский Leninist
летний summer (*as, a summer day*)
лето summer
лечь to lie down
либретто libretto
лидер leader
ликёр liqueur
литература literature
лифт lift/elevator
лицо face
личный personal
ложа (theatre) box
ложиться to lie down
луна moon
лучше better
любить to love
люди people

М

мавзолей mausoleum
магазин shop
магнитофон tape-recorder
май May
максимальный maximum (*as, a maximum size*)
максимум maximum
маленький small, little
мальчик boy
марка stamp
марксизм Marxism
марксизм-ленинизм Marxism-Leninism
марксистский Marxist (*as, Marxist view point*)
март March
маршрут route, itinerary
мастер master (*workman, artist*); foreman
мастерская work-shop
масштаб scale
материализм materialism
материалистический materialistic
мать mother
машина car, lorry/truck, machine
медаль medal
медицина medicine
медленный slow
медпункт first aid station
медсестра nurse
медь copper
междугородный interurban, trunk/long distance (phone call)
международный international
мелодия melody
мелочь small change
меньше less
меньшинство the minority
меню menu

местность area
местный local
место place
месторождение (mineral, oil, gas) deposits
месяц month
металл metal
метод method
метр meter
метро underground/subway
мечта dream
микрофон microphone
милитаризм militarism
милиция militia, police
миниатюра miniature
минимальный minimal
минимум minimum
министерство ministry
минута minute
мир world; peace
мирный peace, peaceful
мировой world (*as, world unity*)
миролюбивый peace loving
миссия mission
митинг meeting
могила grave (*in a graveyard*); ~ **Неизвестного солдата** the Tomb of the Unknown Soldier
мода fashion
модель model
модный fashionable
мозаика mosaic, inlay
молодёжный youth (*as, youth festival*)
молодёжь youth, young people
молодой young
монета coin
монополия monopoly, giant corporation
море sea
морской sea, marine
москвич *m* Muscovite

233

москвичка *f* Muscovite
московский Moscow *(as, a Moscow district)*
мост bridge
мотор engine
мотоцикл motor cycle
муж husband
мужчина man
музей museum
музыка music
музыкальный musical, music
музыкант musician
мультфильм cartoon film
мыло soap
мысль idea, thought
мыть to wash
мюзикл musical
мягкий soft
мягкий вагон first class (railway) carriage

Н

набережная embankment
набор set *(as, a set of knives)*
наверх up
наверху upstairs, above
награда prize, award, reward
награждать to reward, decorate
награждение reward, decoration
надеть to put on
надпись inscription
нажать to press
назад back
название name *(except personal)*
найти to find
налево to the left
наличные cash
наоборот the other way (a-)round, vice versa
напиток drink
напоминать to remind

направление direction, line (of development)
направо to the right
например for example
напряжение voltage; tension
народ people
народный people's, national
нарушать to break, violate
население population
настоящий real
натюрморт still life
наука science
научно-производственный scientific and technological
находиться to be situated
национальность nationality, ethnic group
национальный national, ethnic
нация nation
начало beginning
небо sky
неграмотность illiteracy
неделя week
независимый independent
нейтральный neutral
некурящий non-smoker
необходимый necessary
неправильный wrong
неприсоединившиеся страны non-aligned countries
несколько several, a few
нет no
нефтепровод oil pipeline
ниже lower
нижний low
низкий low; mean
никогда never
ничего nothing
новый new
ноль zero
номер room *(at a hotel)*; **одноместный** ~ single room
носильщик porter

ночь night
ноябрь November

О

обед dinner
обедать to have dinner
обещание promise
обещать to promise
область province, region, field
обмен exchange
обменивать(ся) to exchange
оборона defence
образование education
обратный билет return ticket
обращаться to address, ask
обращение appeal
обслуживание service
обслуживать to serve; to handle, service (machinery, etc.); take care of
обстановка conditions, situation
обсуждать to discuss
обсуждение discussion
обучать to educate, teach, instruct
обучение education, instruction
общежитие hostel/dormitory
общественный social, public, community
общество society
объединение unification; amalgamation, association
объявление announcement, notice
объяснять to explain
обычай custom
обязательный obligatory
огонь fire
озеро lake
океан ocean
окружающий surrounding

октябрь October
опаздывать to be late
опасность danger
опасный dangerous
опера opera
оперетта operetta, musical comedy
оплата payment
оплачивать to pay
опыт experience; experiment
опять again
орбита orbit
орбитальный orbital
организатор organizer
организационный комитет organizing committee
организация organization
орден order (a decoration, an award)
оркестр orchestra
освобождение liberation
осенний autumn (as, an autumn day)
осень autumn
основной major, main
остановка stop
остров island
ответ answer
ответственный responsible
отвечать to answer
отдых rest, recreation
отдыхать to rest, relax, be on holiday/vacation
отец father
отечественный native, home; Soviet(-made)
открытка post-card
отопление heating
отправление (поезда) departure (of a train)
отпуск leave, vacation
отрасль branch
отъезд departure (of a person)

официальный official
официант waiter
официантка waitress
оформление документов official registration of documents
очки glasses
ошибка mistake

П

павильон pavilion
пакет package
памятник memorial, landmark/monument, example
память memory
папироса cigarette with a cardboard mouth-piece
парад parade
парикмахерская beauty salon, hairdresser's, barber's
парк park *(garden)*
парламент parliament
партбилет Party (membership) card
партер the stalls/orchestra (seats)
партизан partisan, guer(r)illa
партия party
партнёр partner
пасмурный cloudy
паспорт passport
пассажир passenger
пассажирский поезд passenger train
певец *m* singer
певица *f* singer
пенсионер *m* pensioner
пенсионерка *f* pensioner
пенсия pension
пепельница ash-tray
первый first
переводчик *m* translator, interpreter

переводчица *f* translator, interpreter
переговоры talks
передача broadcast
перекрёсток street crossing
перекусить to have a snack
переписка correspondence
перерыв interval, break
перестройка perestroika, reconstruction
переход (pedestrian) crossing
период period, time
перрон (railway) platform
перспективный future; promising, with good prospects
песня song
печать press; seal, stamp
пешком on foot
пиво beer
пионер *m* Young Pioneer *(belonging to children's organization)*
пионерка *f* Young Pioneer *(belonging to children's organization)*
писатель writer
писать to write
письменный стол desk
письмо letter
пить to drink
пища food
плавательный бассейн swimming-pool
плавать to swim
плакат poster, placard
план plan
пластинка grammophone record
платить to pay
пленум plenum, full-scale meeting
плохо badly
пляж beach

победа victory
победить to win
повестка дня agenda
поворот turn
повторить to repeat
погода weather
пограничный border, frontier *(as, a border line)*
подарок present
поднимать to raise, improve
подпись signature
подъезд entrance
поезд train
поездка trip
пожалуйста please
пожелание wish
позавчера the day before yesterday
поздравлять to congratulate
позиция position
поликлиника outpatients' clinic, district health centre
политбюро ЦК КПСС Political Bureau of Central Committee of the CPSU
политика policy, politics
политический political
полномочия authority, powers
половина half
положение position
полуостров peninsula
полчаса half an hour
помнить to remember
помощь help, assistance
понедельник Monday
понимать to understand
популярный popular
порт port
портрет portrait
портфель bag, brief-case
посадка boarding; landing
посадочный талон boarding pass

посещать to visit, attend (classes), go (to the cinema/movies)
последний last *(as, the last straw)*
послезавтра the day after tomorrow
посол ambassador
посольство Embassy
постель bed; bedclothes
потому because
похожий alike, like
почему why
почта post, mail, post-office
почтамт head/central post-office
почти almost
почтовый postal
пошлина (customs) duty
поэзия poetry
поэт poet
поэтому because, therefore
правило rule
правительственный government(al)
правительство government
правый right; just
праздник holiday
практика practice, field work
практический practical
пребывание stay
предлагать suggest
предложение suggestion
предприятие enterprise, plant
председатель chair(man)
представитель representative, member, spokesman, exponent
представление presentation, performance
президент president
президиум presidium
преимущество advantage

премия premium, bonus
прения debate, discussion
пресса press
пресс-конференция press-conference
пресс-центр press-centre
прибытие arrival
привет greetings
приглашать to invite
приглашение invitation
пригородный поезд suburban train
приём reception; collection point
приёмник (transistor) radio
приз prize
пример example
принадлежать to belong
принимать to receive, accept
принцип principle
приобретать to acquire
природа nature, (natural) environment
причёска hair style
причина reason
проблема problem
программа program(me)
прогресс progress
проза prose
произведение work *(of art)*
производительность труда efficiency, productivity
производство production; industry
промышленность industry
промышленный industrial
просвещение education
просьба request
протестант Protestant
протестовать to protest
профессиональное образование professional, vocational education, training

профессиональный professional, vocational, occupational
профессия profession, trade, occupation
профсоюз trade union
профсоюзный (trade) union *(as, a trade union leader)*
профтехучилище vocational school
прошлый last *(as, last Friday)*
прощальный farewell *(as, a farewell party)*
прощаться to say goodbye
прямо directly, straight; frankly
прямой direct, straight; frank
птица bird
публика public
публикация publication, published work
путеводитель guidebook
путешествие travel, trip
путешествовать to travel
путь way, road
пьеса play
пятилетка five year plan
пятница Friday

Р

работа work
работать to work
рабочий working; worker
равноправие equality (of rights)
равный equal
радиоприёмник radio, (transistor) radio
развитие development
развлечение entertainment, amusement
разговор conversation
разговорник phrase-book
разменять to change
размер size
разный various

разоружение disarmament
разрешение permission
разрядка международной напряжённости détente, easing of international tension
район region, district, area
ракета rocket, missile
расписание time-table, schedule
рассматривать to consider
рассмотрение consideration
расстояние distance
реальный real, realistic
ребёнок child
революция revolution
регистрация registration
регистрироваться to register
редактор editor
режиссёр film, stage director, producer
результат result
рейс flight, run
река river
реклама advertisement
религиозный religious
религия religion
ремонтировать to repair
репертуар repertoire
репортаж reportage, report
репродукция reproduction
республика republic
ресторан restaurant
рецепт recipe, prescription
речной river (*as, a river port*)
речь speech
решение decision
родители parents
роль role
рост height; growth
руководитель leader, manager
руководство leadership, management
ряд row; several

С

садиться to sit down
самокритика self-criticism
самолёт plane
самообслуживание self-service
сантиметр centimeter; tape measure
сауна sauna, bath
сведения news, information
свет light
свобода freedom
свободный free
связь connection, communication(s)
сдача change (*adjustment after paying*)
сеанс (film)showing
север North
северный northern
северо-восток North-East
северо-восточный north-eastern
северо-запад North-West
северо-западный north-western
сегодня today
сейчас now
секретариат secretariat
секретарь secretary
секунда second
село village
сельский rural
сельскохозяйственный agricultural
семестр term, semester
семинар seminar
семья family
сентябрь September
сервиз service set
серебро silver-ware; cutlery
серебряный silver (*as, a silver ring*)
сессия session

сестра sister
сзади (from) behind
сигара cigar
сигарета cigarette
сидеть to sit
сильный strong
символ symbol
симпозиум symposium
симфония symphony
синхронный перевод simultaneous interpreting
система system
сказать to say
скорость speed
скорый поезд express train
скульптор sculptor
скульптура sculpture
слабый weak
слава glory
слева on the left
следующий (the) next
словарь dictionary
слово word
сломаться to break
служащий white-collar worker, office worker
служба service
служебный official
слышать to hear
смешанный mixed
смотреть to look
соболезнования condolences
совет advice; council; Soviet (Government, authority)
советник councillor; counsellor
советовать to give advice
советский Soviet
совещание conference, meeting
современный modern, contemporary
совхоз State farm
согласие consent, agreement
соглашаться to agree

соглашение agreement
содружество concord, community
сокращение abbreviation; cutting down, reduction
солист *m* soloist
солистка *f* soloist
солнце sun
сообщать to inform
сообщение report, information, communiqué
сопровождать to accompany
соревнование competition
соревнования tournaments
состав composition, structure; staff
сосуществование co-existence; **мирное** ~ peaceful co-existence
сотрудничать co-operate
сотрудничество co-operation
социализм Socialism
социалистический Socialist
социальный social
союз union
спальный вагон sleeper, sleeping-car
спать to sleep
спектакль show, performance, production
спереди in front of
специалист specialist
специальность speciality
список list
спички matches
спорт sport(s)
спортсмен sportsman, athlete
спортсменка sportswoman, athlete
справа on the right
справка certificate; information
справочник reference book

справочное бюро information (bureau, desk)
среда Wednesday
срок term; deadline
срочно urgently, fast
срочный urgent, fast
стадион stadium
стажёр probationer, trainee, exchange student
стажироваться to work on probation, study
стажировка work on probation, study stay, term of study, traineeship
сталь steel
станок machine-tool
станция station
старый old
стенд display (*at an exhibition*)
стипендия grant/scholarship
стоимость price
стоить to cost
столица capital
столовая canteen/cafeteria
стоп-кран braking stop, emergency brake
стоп-сигнал brake lights
сторона side
стоянка stop; parking; taxi rank/stand
стоять to stand
страна country
строительство construction
студент *m* student
студентка *f* student
студенческий student (*as, a student body*)
стюардесса stewardess, airline hostess
суббота Saturday
субботник "soubbotnik", donated Saturday work-in
сувенир souvenir

суд court
сумка bag
сутки day (and night), 24 hours
схема diagram; map
сцена stage
счастливый happy
счастье happiness
счёт bill
сын son
сюда here (*towards the speaker*)

Т

табак tobacco
таблетка tablet, pill
табло indicator panel, scoreboard
такси taxi
талант talent
талантливый talented
таможенник customs officer
таможенный customs (*as, customs duty*)
таможенный досмотр customs examination
таможня customs-house
танец dance
танцевать to dance
танцовщик *m* dancer
танцовщица *f* dancer
творчество (creative) work
театр theatre
театральный theatrical, theatre
телевидение television
телевизионный television (*as, a television concert*)
телевизор television set, TV set
телеграмма telegram
телеграф telegraph office
телефон telephone
телефон-автомат pay phone; telephone box/booth
тема subject, topic

температура temperature
теория theory
теплоход ship
тёплый warm
территория territory, grounds
техникум technical junior college
технический technical
технология technology
тир shooting grounds, gallery
тираж circulation, edition
товар goods
товарищ comrade; friend
товарищеский friendly
только only
тонна metric ton, tonne
торговать to trade
торговля trade
тост toast
точка point
тракторист tractor driver
трамвай tram/trolley, streetcar
транзистор transistor (*radio*)
транзит transit
трансляция direct transmission, broadcast
транспорт transport
трибуна platform, rostrum; grandstand, stands
трикотаж knitted fabric, knitted wear
троллейбус trolley-bus
тротуар pavement/sidewalk
трубопровод pipeline
труд work, labour
туалет toilet, WC/rest room
туда there (*away from the speaker*)
туризм tourism
турист *m* tourist, hiker
туристический tourist (*as, a tourist itinerary*)
туристка *f* tourist, hiker

турнир tournament, contest
тяжёлый heavy

У

уборная WC, toilet
удар thrust
уже already
ужин supper
ужинать to have supper
улица street
универмаг department store
универсам supermarket
университет university
уникальный unique
упаковывать to pack
употребление use, usage
урожай crops, yield, harvest
урок lesson, class
усилитель amplifier
ускорение uskoreniye, acceleration (*intensification of social and economic development*)
услуги services
успех success
успешный successful
устав regulations, statutes
утро morning
участвовать to participate
участник participant
учащаяся school-girl, pupil
учащийся school-boy, pupil
учёба study
учебное заведение educational institution
ученик *m* pupil
ученица *f* pupil
учитель *m* teacher
учительница *f* teacher
учить to teach
учиться to learn; to study
учреждение institution, office, agency

Ф

фабрика factory
факт fact
фактический actual, real, factual
факультет faculty/school (*at a university*)
фамилия family name
фасад facade
фашизм fascism
фашистский fascist
февраль February
федеральный federal
федерация federation
ферма farm (dairy, pig, poultry)
фестиваль festival
филателист philatelist, stamp collector
филателия philately, stamp collecting
филиал branch (of a larger organization)
фильм film/movie
фирма firm, company
фирменный of a firm; speciality (*at a restaurant*)
флаг flag
фойе theatrical foyer
форум forum
фотоаппарат camera
фотовспышка flash (bulb)
фотография photo, picture
фотоплёнка camera film
фреска fresco
фуникулёр funicular
футляр case

Х

хобби hobby
ходить to walk

хозрасчёт self-financing system
хозяйство economy, farm
холодильник refrigerator
холодный cold
хор chorus, choir
хореография choreography
хорошо well
художественный artistic
художник painter, artist
хуже worse

Ц

цвет colour
цветы flowers
цель purpose
цена price
центр centre
центральный central
церемония ceremony
церковь church
цех shop, workshop, department
цикл cycle
цирк circus
цифра number, figure

Ч

чай tea
чартерный рейс charter flight
час hour
часовщик watchmaker
часть part (*of smth*)
часы watch, clock
часы пик rush hours
чаще more often
чек cheque
человек man
чемодан trunk
четверг Thursday
чинить to repair
число number; quantity; date

чистый clean
член member
членский membership (*as, a membership card*)

Ш

шар ball
шахматист chess-player
шахматный chess (*as, chess board*)
шахматы chess
шашки draughts, checkers
швейцар hall-porter, doorman
шедевр masterpiece
школа school
школьник schoolboy
школьница schoolgirl
шоссе highway
шофёр driver
штраф fine (*paid for violation of rules*)
шум noise
шутить to joke
шутка joke

Щ

щека cheek
щит shield

Э

экзамен examination
экземпляр copy
экипаж crew
экономика economics
экскурсия excursion
экскурсовод tour guide

эксплуатировать to exploit
экспозиция exposition
экспонат exhibit
экспонировать to exhibit
экспресс express
электростанция power station
эмблема emblem
энциклопедия encyclopaedia
этаж floor
этикетка label
эффект effect
эффективность efficiency, efficacy
эффективный effective, efficient

Ю

юбилей jubilee
юг South
юго-восток South-East
юго-восточный south-eastern
юго-запад South-West
юго-западный south-western
южный southern/South
юмор humour
юность youth
юноша youth, lad
юный young

Я

ядерный nuclear
язык language; tongue
январь January
ярмарка fair
ярус circle, tier
ясный clear

MAJOR PLACES OF INTEREST IN AND AROUND MOSCOW

ОСНОВНЫЕ ДОСТО-ПРИМЕЧАТЕЛЬ-НОСТИ МОСКВЫ И ПОДМОСКОВЬЯ

The Moscow Kremlin

Московский Кремль

This is the most ancient part of Moscow, the historical, social, political and cultural focus of the capital, the headquarters of the Government. The name "Kremlin" first appeared in the fourteenth century, though there had been a wooden fortress there much earlier, in the twelfth century.

The architectural ensemble of the Kremlin is harmonious and picturesque. The magnificent **Belltower of Ivan the Great** forms the centre of the composition. The central square of the Kremlin which is called Cathedral Square is surrounded by ancient Russian brick and stone — **the Assumption Cathedral, the Cathedral of the Annunciation** and **the Cathedral of the Archangel Michael, the Church of the Deposition of the Virgin's Robe, the Patriarch's Palace** with **the Cathedral of the Twelve Apostles, the Palace of Facets (Granovitaya Palata)** and **the Belfry.**

The State Armoury

Оружейная Палата

The Armoury is the oldest Russian museum, and is a treasure house of artifacts and art. The finest works of Russian and foreign craftsmen are closely bound up with the history of the Moscow Kremlin and the Russian State.

Represented at the Armoury are the decorative and applied arts of Russia, Byzantium, Western Europe and Asia Minor, dating from the fifth century A. D. to early in the twentieth century. There are weapons and armour, gold and silverware, various articles decorated with engraving, niello, filigree, enamel, precious stones, gold, silver and pearl embroidery, the thrones and regalia of tsars, ornamental saddles and harnesses, coaches and many other items.

The Armoury is housed in a building specially designed for the purpose by K. Toon and built between 1844 and 1851.

The Museum of History   Исторический музей

The State Museum of History founded in 1872 is the central museum of Russian history from ancient times up to the Great October Socialist Revolution. The Museum's collections contain over four million items. The archeological collection is the richest in the USSR, and there are collections of coins and medals, of Russian, Eastern and Western weaponry, Russian fabrics, clothing and jewellery, manuscripts and ancient printed books and Russian painting.

The Museum has some unique cultural treasures, such as the Svyatoslav Anthology (1073), Greek manuscripts of the sixth to the seventeenth centuries, Novgorod birch-bark scrolls dating from the 11th to the 15th centuries, Nikon Patriarch Pedalion (16th century). Closer to our time are exhibits dating back to the Patriotic War of 1812, the defense of Sevastopol (1854-1855), personal belongings of Kutuzov, the famous Russian General, of such writers as Turgenev, Gertsen, Belinsky, Chernishevsky.

Branches of the Museum in other parts of Moscow are the Cathedral of St. Basil the Blessed (the Cathedral of the Intercession) in the Red Square, the Novodevichy Convent, the Trinity Church in Nikitniky (the Museum of Architecture and Painting (seventeenth century), sixteen and seventeen century buildings in Zaryadye (the Museum of Applied Arts), the Museum of the Decembrists.

The Central Lenin Museum   Центральный музей В. И. Ленина

The Central Lenin Museum was founded in May, 1936. Exhibits include various copies of Lenin's manuscripts, first editions of his books and pamphlets, the original copies of the newspapers "Iskra" (Spark), "Vperyod" (Forward), "Proletary", "Zvezda" (Star), "Pravda" (Truth), containing articles by Lenin, the first Decrees of the Soviet State, resolutions of the Council of People's Commissars, prepared and signed by Lenin.

Then there are Lenin's personal belongings, photographs and all sorts of documents having to do with Lenin's life and work.

The Museum conducts its own study of source material concerning Lenin's biography and the history of the Communist Party.

Panorama Museum of the Battle of Borodino   Панорама «Бородинская битва»

The Museum was opened on October 18, 1962, to commemorate the 150th anniversary of the Patriotic War of 1812.

The panorama of the Battle of Borodino was created in 1912 by the famous Russian artist, F. Roubeau.

The building of the Museum was specially designed for the display of this unique piece of Russian Art.

Besides the Panorama, the Museum has on exhibit other original pieces of fine art as well as of Russian soldiers' uniforms, weapons, banners, etc.

The outside walls of the main building are decorated with mosaic panels by B. Talberg. The entrance hall walls are decorated with cast iron bas-reliefs of battle armour. They were created earlier by the Russian sculptor Vitaly.

The Panorama Museum is the centre of a memorial complex. This includes an obelisk set above the mass grave of 300 Russian soldiers who died in Moscow of wounds inflicted at Borodino; the Arch of Triumph built to commemorate the victory over Napoleon, a memorial to Field Marshal Kutuzov by N. Tomsky, People's Artist of the USSR; a branch of the Museum called the Kutuzov Hut where one can learn the story of Kutuzov's life.

Tretyakov Gallery   Третьяковская галерея

The greatest world's collection of pre-Revolutionary Russian art and Soviet art of all nationalities, it is named after its founder, Pavel Tretyakov, who began collecting in 1856. In 1898 he presented his collection to the city of Moscow.

Today the Gallery features paintings, drawings, engravings, etchings and sculpture from both before and after the Revolution.

The Gallery has a rich collection of 11th—17th century Russian painting, with ikons by Andrei Rublyov, Dionisy, Simon Ushakov among them.

Its stocks include the eighteenth century portrait painters, Rokotov, Levitsky, Borovikovsky, the brilliant sculpture works of Shubin and others; such painters of the first half of the nineteenth century, as Kiprensky, Tropinin, Venetsianov, Brullov, Fedotov, Ivanov and others. Its Russian paintings of the second half of the nineteenth century are of special interest. They include the Wanderers (Peredvizhniki), a circle of painters whose works expressed their revolutionary-democratic ideas and their love for the people. These were Perov, Kramskoy, Vasnetsov, Savrasov, Shishkin. And, finally, late 19th century and early 20th century painters — Levitan, Vrubel, Serov, Repin, Surikov, Vereshchagin, Nesterov, "The World of Art" group, "The Union of Russian Painters", "The Blue Rose", "The Knave of Diamonds".

Soviet multi-ethnic art at all its stages is represented here in the works of Andreyev, Vuchetich, Deineka, A. Gerasimov, S. Gerasimov, Konyonkov, Tomsky, Saryan and others.

The Pushkin Museum of Fine Arts

Музей изобразительных искусств им. А. С. Пушкина

After the Hermitage in Leningrad the Pushkin Museum possesses the largest collection of world art in the USSR. It was opened in 1912.

The Museum of Fine Arts has originals and copies of ancient Oriental art, Greek and Roman art, the art of ancient cities on the Northern Coast of the Black Sea, Byzantium, Western and Eastern Europe. The Museum has works by Rembrandt, Ryusdael, Terborch, van Ostade, Jordaens, Rubens, Poussin, Watteau, David, Claude Lorraine, Corot, Courbet and others, a rich collection of Barbizon painting, an outstanding collection of pieces by French Impressionists, including Monet, Degas, Renoir. Of later painters there are Cezanne, Gauguin, van Gogh, Matisse, Picasso, Leger, Renato Guttuso and others.

The Museum of Fine Arts regularly arranges exhibitions from its own collections as well as from picture galleries in other countries and private collections.

The Museum of Oriental Art   Музей искусств народов Востока

Founded in 1918, the Museum's collections contain works of ancient medieval and modern Oriental art from the Soviet Union, the Middle East, the Far East. The collection features the art of Central Asia, the Caucasus and Transcaucasus, the Far East and South-East Asia, Iran, India, Turkey, the Arab countries and tropical Africa.

Ostankino Palace   Останкинский дворец-музей

The Ostankino estate is a fine example of late eighteenth century architecture.

The palace is set in a park with a symmetrical layout. Several interconnected wooden buildings with stucco facing are arranged along a central axis. The theatre with its suite of sitting-rooms is in the centre. Through high-ceilinged galleries it is connected with the concert hall of the "Egyptian Pavilion" and the banquet hall of the "Italian Pavilion". The interiors are decorated with fine gilt wooden carving, beautiful parquetry floors, crystal chandeliers, collections of paintings, engravings, marbles, furniture etc.

The landscaping of the park has been kept up over a large part of the grounds.

The theatre which is the centre of the palace was one of the best theatres in Russia at the time. It was equipped by Pryakhin, a serf mechanic. The technical equipment was truly remarkable. The theatre floors could be raized and lowered quickly and the auditorium together with the stage converted into a ballroom (the way it looks now).

Sheremetyev's serf company staged operas, ballets and comedies at the Ostankino theatre. The star of the stage was Praskovya Zhemchugova, an outstanding singer and actress, almost a legend in her own lifetime.

In 1918 the Ostankino estate was nationalized, and the palace was turned into a museum called the Palace of Serf Art. In 1948 the Moscow City Soviet put the Ostankino Palace and park under the special protection of the State.

Abramtsevo   Абрамцево

Abramtsevo is a country estate situated near Zagorsk, outside Moscow.

In the nineteenth century Abramtsevo played an important part in Russia's cultural life. From 1843 to 1870 Abramtsevo was the country seat of the Aksakov family (S. Aksakov was the famous Russian writer, his two sons, I. Aksakov and K. Aksakov, were outstanding public figures and essayists).

During those years Abramtsevo was frequented by such Russian writers as Gogol and Turgenev, and by Shchepkin, the great Russian actor. From 1870 the estate belonged to Mamontov, a wealthy factory owner and patron of the arts.

In the 1870's and 1880's Abramtsevo was a centre of the arts, where a Russian folk art revival was in full spate. Painters Vasnetsov, Repin, Serov, Vrubel, Korovin and Nesterov used to come to Abramtsevo to work and rest. There was also a studio for wood carving and majolica.

In the park around the old house built in the middle of the eighteenth century, there were buildings designed in the Russian revival style: "Studio", the "Terem" (tower-chamber), "The Hut on Chicken Legs").

There was also an amateur theatre. Stanislavsky, one of the founders of the Moscow Art Theatre, and Chalyapin, the great Russian basso, gave performances there.

Andrei Rublyov Museum of Ancient Russian Art (the former Andronikov Monastery)   Музей древнерусского искусства им. Андрея Рублёва (Андроников монастырь)

Founded in 1360 as a monastery-fortress on the eastern approaches to Moscow, it was named after Andronik, the first Father-superior of the monastery.

The Church of the Saviour, the oldest example of stone architecture in Moscow today, was built in the monastery of lime stone in 1420—1427.

In the interior there are fragments of frescoes by Danilo Chorny and Andrei Rublyov.

In 1947 the Andrei Rublyov Museum of Ancient Russian Art was put under the special protection of the State.

The Archangelskoye Estate Museum
Музей-усадьба «Архангельское»

Situated twenty kilometres west of Moscow, this is a unique example of an 18th—19th century country house of the nobility built in the Classical style.

From the main palace the park descends in picturesque terraces to the river Moskva. The terraces and staircases have balustrades and marble statues. Along the alleys of the park there are elegant belvederes, fountains and pavilions, among which we find a smaller palace named The Caprice, a theatre (1817—1818) and a monument to Catherine the Great.

The picture gallery of the Museum contains works by prominent Russian and foreign painters.

Kuskovo Estate Museum
Музей-усадьба «Кусково»

Kuskovo, an eighteenth century architectural composition, was the country estate of the Counts Sheremetyev. The park ensemble of nearly 30 square kilometres, with its lakes and canals, and the arrangement of park buildings, was mainly completed by the middle of 1750. The departure from absolute symmetry in the planning of the Park and the arrangement of the buildings make the ensemble so picturesque that it was not spoiled by the newer buildings constructed in the second half of the eighteenth century in the classical style: in fact, the wooden Palace (1769—1775), the Belfry (1792), the Hermitage (1765—1767) make the general composition much richer.

The ensemble also includes the "Dutch House" and the "Italian House", the Grotto and the Conservatory.

The beautiful decoration of the Palace interiors and the furniture have largely been preserved, together with over 60 eighteenth century marbles.

The State Museum of Ceramics exhibits here ancient pottery, majolica and Russian, West-European and Oriental porcelain and glass.

РАЗГОВОРНИК

Черняховская Леонора Александровна

АНГЛО-РУССКИЙ РАЗГОВОРНИК

Зав. редакцией
Т. М. Никитина
Редакторы
Е. Е. Тихомирова, Н. С. Стрелкова
Художник
А. В. Кузнецов
Художественный редактор
Н. И. Терехов
Технический редактор
М. В. Биденко
Корректор
Г. Н. Кузьмина

for notes

for notes